SCHOLAR Study Guide

SQA CfE Higher French
Context 3: Employability

Authored by:

Catriona Macrae (St. David's RC High School)

Dorothy Drylie (Previously Madras College)

Reviewed by:

Emilie Robinson (George Watson's College)

Previously authored by:

Ann Guy

Marc Fermin

Heriot-Watt University

Edinburgh EH14 4AS, United Kingdom.

First published 2014 by Heriot-Watt University.

This edition published in 2015 by Heriot-Watt University SCHOLAR.

Distributed by the SCHOLAR Forum.

SCHOLAR Study Guide Context 3: SQA CfE Higher French

1. SQA CfE Higher French Course Code: C730 76

ISBN 978-1-909633-32-2

Print Production and fulfilment in UK by Print Trail www.printtrail.com

Acknowledgements

Thanks are due to the members of Heriot-Watt University's SCHOLAR team who planned and created these materials, and to the many colleagues who reviewed the content.

We would like to acknowledge the assistance of the education authorities, colleges, teachers and students who contributed to the SCHOLAR programme and who evaluated these materials.

Grateful acknowledgement is made for permission to use the following material in the SCHOLAR programme:

The Scottish Qualifications Authority for permission to use Past Papers assessments.

The Scottish Government for financial support.

The content of this Study Guide is aligned to the Scottish Qualifications Authority (SQA) curriculum.

Contents

Topic 1

Jobs

Contents

Learning objectives

Within this theme, you will explore issues associated with jobs, such as:

- *getting a summer job;*
- *planning for future jobs/higher education;*
- *gap year;*
- *career path;*
- *equality in the workplace.*

With the study of each of the French Higher course's Contexts, you will practise and improve your Listening and Reading comprehension skills. A number of language points, both grammar and vocabulary building, will be covered throughout the course. You will need to review and apply these in order to develop your Writing and Talking skills. Translation practice opportunities will also be provided. Tips will be given for your development in all of these areas.

1.1 Listening comprehension: Djamila

Djamila talks about the pros and cons of different types of work, given her and her family's experience.

Listening comprehension

Go online

You will need the following sound file to complete this exercise:
hg-cfrh3-1-1listening.mp3

Q1: Djamila is:

1. Algerian.
2. French of Algerian origin.
3. Algerian of French origin.

....

Q2: She has:

1. one older brother and one younger sister.
2. two older brothers and one younger sister.
3. three older brothers and one younger sister.

....

Q3: She will:

1. sit her baccalauréat at the beginning of June.
2. pass her baccalauréat in June.
3. sit her baccalauréat at the end of June.

....

Q4: Djamila's parents hold that the most important thing in life is to:

1. become a civil servant.
2. do what you feel is good for you.
3. work well.

....

Q5: Working in the public sector means:

1. no problems.
2. a job guaranteed for life.
3. a lot of problems.

....

Q6: Algeria is in:

1. the north of Africa.
2. the south of Africa.

....

Q7: Djamila's parents left Algeria because:

1. of the aftermath of the war for independence.
2. they thought life would be better in France.
3. they wanted to live in Paris.

....

Q8: In the 1960s you could:

1. choose exactly what you wanted to do professionally.
2. do just what you wanted to do.
3. decide for everybody.

....

Q9: When did Djamila's family move to Brest?

1. 1960s
2. 1970s
3. 1990s

....

Q10: What did Djamila's parents open?

1. A haberdashery
2. A grocery store
3. A bakery

....

Q11: They:

1. paid for all their children to study.
2. demanded that their children work to pay for their studies.
3. expected that their children would work and part-fund their studies.

....

Q12: Djamila's brothers:

1. work for the council.
2. work in the secret services.
3. have been out of work for the past 7 years.

....

Q13: Djamila would like to:

1. do a straightforward course.
2. do what is right.
3. study law.

....

Q14: Employment in the public sector offers:

1. a high level of qualification yet does not offer many opportunities.
2. that candidates promote their area of expertise.
3. many job opportunities.

....

Q15: A civil servant has:

1. to accept the posts offered.
2. many constraints.
3. obligations to his employer.

....

Q16: Djamila would rather do a job that:

1. she really likes and leaves her a lot of room to manoeuvre.
2. she really likes even if she does not have much free time.
3. gives her a lot of status.

....

Q17: Djamila's parents would like her to:

1. go into a secure job for life.
2. work in the public sector.
3. think more seriously about life and her future.

....

Q18: Djamila thinks that she:

1. could become a lawyer.
2. could work in the private sector.
3. should do something without too much risk involved.

....

1.2 Language point: modals

There are eight common English modals:

can
could
may
might
must
ought to
should
would

As their names say, 'modals' express moods.

Let us look at the following sentences taken from this passage:

Je **dois** réussir.	I **must** succeed.
On **peut** faire beaucoup de choses.	You **can** do lots of things.
Je ne sais pas encore ce que je **veux** faire.	I don't know yet what I **want** to do.
On **est obligé** d'accepter des postes.	You have to/**must** accept jobs.
Je **devrais** y réfléchir sérieusement.	I **should** think seriously about it.
Je **pourrais** devenir avocate.	I **could** become a lawyer.

must: devoir in the **present tense**, or **être obligé**

Examples

1. Devoir in the present tense

je dois	nous devons
tu dois	vous devez
il/elle doit	ils/elles doivent

. . . .

2. Pouvoir in the present tense

je peux	nous pouvons
tu peux	vous pouvez
il/elle peut	ils/elles peuvent

. . . .

3. Vouloir in the present tense

je veux	nous voulons
tu veux	vous voulez
il/elle veut	ils/elles veulent

. . . .

4. Être obligé

je suis obligé(e)	nous sommes obligé(e)s
tu es obligé(e)	vous êtes obligé(e)s
il est obligé/elle est obligée	ils sont obligés/elles sont obligées

. . . .

5. Pouvoir in the conditional

je pourrais	nous pourrions
tu pourrais	vous pourriez
il/elle pourrait	ils/elles pourraient

....

6. Vouloir in the conditional

je voudrais	nous voudrions
tu voudrais	vous voudriez
il/elle voudrait	ils/elles voudraient

....

7. Devoir in the conditional

je devrais	nous devrions
tu devrais	vous devriez
il/elle devrait	ils/elles devraient

....

8. Préférer

je préférerais	nous préférerions
tu préférerais	vous préféreriez
il/elle préférerait	ils/elles préféreraient

....

Writing practice: L'université

Model

Moi, je pense que je voudrais faire des études à l'université. J'aimerais étudier la médicine. Je pourrais travailler comme docteur. Je devrais étudier pendant sept ans. Je pourrais travailler dans un hôpital pour enfants parce que j'aime cet environnement. Je suis sûr que je pourrais trouver du travail facilement après parce que tout le monde a besoin d'un médecin. J'aimerais partir travailler dans différents pays. Je pourrais travailler comme médecin mais si ce n'est pas possible je pourrais aussi faire des études pour être infirmier.

Using the model, write about your own work possibilities.

Show your work to your teacher or tutor when you have finished.

....

1.3 Arthur

Go online

Reading comprehension: Arthur et David

Arthur, **mécanicien**

David, **chef d'entreprise**

Frères **jumeaux**, nés en France, Arthur et David n'avaient pas grand chose d'autre en commun. Quand ils se sont **expatriés** au Canada, ils avaient des goûts très différents.

Arthur avait toujours adoré les voitures. Quand il est arrivé à Montréal, il a trouvé un poste de mécanicien dans un garage. Il a beaucoup travaillé. Il a obtenu une promotion. Le premier hiver canadien a été une expérience incroyable ! Comment les voitures pouvaient-elles résister à des températures de moins 30 degrés Celsius la nuit ? Aujourd'hui, Arthur est installé dans la banlieue de Montréal, et il est propriétaire de son garage, comme il en avait toujours rêvé !

David, quant à lui, avait toujours été attiré par le **monde de l'entreprise**. Il a trouvé un poste chez un importateur de fromages français. Il est rapidement devenu directeur commercial. Il est vrai qu'il travaillait jour et nuit ! Quand le **propriétaire** de l'entreprise est mort à la suite d'un infarctus, David en a repris la direction. Il est aujourd'hui premier **fournisseur** de fromages des grands restaurants de Montréal.

En dehors du fait qu'ils étaient jumeaux, ces deux individus avaient autre chose en commun : ils n'arrivaient pas à trouver de travail en France. On leur disait qu'ils étaient trop jeunes, qu'ils avaient trop de diplômes, qu'ils n'avaient pas assez d'expérience... Ils avaient tout essayé : répondre aux offres d'emploi, envoyer des candidatures spontanées, s'inscrire dans des agences d'**intérim**. En vain. Ils en ont eu assez et, un jour, ils ont décidé de tenter leur chance au Québec... et ils ont réussi !

Maintenant, quand on leur demande quel est le secret de leur réussite, ils répondent qu'il n'y en a pas ! Il faut simplement travailler très dur, **répondre aux besoins** de tous les clients, avoir confiance en l'avenir, avoir une idée, apporter quelque chose de nouveau et aussi : anticiper !

Frères jumeaux, nés en France, Arthur et David n'avaient pas grand chose d'autre en commun. Quant ils se sont expatriés au Canada, ils avaient des goûts très différents.

Arthur avait toujours adoré les voitures. Quand il est arrivé à Montréal, il a trouvé un poste de mécanicien dans un garage. Il a beaucoup travaillé. Il a obtenu une promotion. Le premier hiver canadien a été une expérience incroyable! Comment les voitures pouvaient-elles résister à des températures de moins 30 degrés Celsius la nuit ? Aujourd'hui, Arthur est installé dans la banlieue de Montréal, et il est propriétaire de son garage, comme il en avait toujours rêvé !

Q19: Arthur is:

a) a mechanic.
b) a period car collector.
c) David's older brother.

....

Q20: David is:

a) Arthur's twin brother.
b) Arthur's boss.
c) Arthur's co-worker.

....

Q21: Arthur:

a) opened a garage in downtown Montréal when he arrived in Québec.
b) developed a special procedure to prevent petrol from freezing in car tanks at night.
c) owns his garage in the Montréal suburbs.

....

Paragraph 3

David, quant à lui, avait toujours été attiré par le monde de l'entreprise. Il a trouvé un poste chez un importateur de fromages français. Il est rapidement devenu directeur commercial. Il est vrai qu'il travaillait jour et nuit ! Quand le propriétaire de l'entreprise est mort à la suite d'un infarctus, David en a repris la direction. Il est aujourd'hui premier fournisseur de fromages des grands restaurants de Montréal.

Q22: David:

a) copied his brother and trained as a mechanic.
b) was never really into business.
c) found a job with a French cheese import company.

....

Q23: David:

a) became a sales manager.
b) did not want to work night and day.
c) died in a car accident.

....

Q24: David is considered today as the:

a) best cheesemonger in town.
b) top cheese supplier to Montréal's top restaurants.
c) top Canadian cheese exporter.

....

Paragraph 4

En dehors du fait qu'ils étaient jumeaux, ces deux individus avaient autre chose en commun : ils n'arrivaient pas à trouver de travail en France. On leur disait qu'ils étaient trop jeunes, qu'ils avaient trop de diplômes, qu'ils n'avaient pas assez d'expérience... Ils avaient tout essayé : répondre aux offres d'emploi, envoyer des candidatures spontanées, s'inscrire dans des agences d'intérim. En vain. Ils en ont eu assez et, un jour, ils ont décidé de tenter leur chance au Québec... et ils ont réussi !

Q25: Apart from being twins, what did David and Arthur have in common?

a) They found it difficult to work in France.
b) They found it difficult to be working at such a young age.
c) They couldn't find a job in France.

....

David and Arthur tried a number of approaches to find a job.

Q26: They wrote to their university alumni network.

a) True
b) False

....

Q27: They sent applications.

a) True
b) False

....

Q28: They registered with temp agencies.

a) True
b) False

....

Q29: They approached their father's relations.

a) True
b) False

....

Q30: They answered job ads.

a) True
b) False

....

Q31: They circulated their CVs online.

a) True
b) False

....

Q32: They decided to emigrate to Canada.

a) True
b) False

....

When asked about the secret of their success, David and Arthur said that:

Q33: there is no secret.

a) True
b) False

....

Q34: you have to work, simple as that!

a) True
b) False

....

Q35: you have to work really hard.

a) True
b) False

....

Q36: you have to meet all the clients' needs.

a) True
b) False

....

Q37: you should believe in the future.

a) True
b) False

....

Q38: you should not hesitate to think ahead.

a) True
b) False

....

....

1.4 Language: The pluperfect

In this passage, the pluperfect was used in several instances. Did you spot it?

Let us look at the following sentences, or parts of sentences:

Arthur **avait** toujours **adoré** les voitures	-Arthur **had** always loved cars
comme il en **avait** toujours **rêvé**	- such as he **had** always dreamed of
ils **avaient** tout **essayé**	- they **had** tried everything

Note the key word when looking at the pluperfect tense is HAD. The pluperfect is describing events even further back into the past than the perfect tense!

Example Quand je suis arrivé dans la classe, l'examen avait commencé.

When I arrived in class the exam had started

....

The pluperfect is built in a **very similar way to the perfect**:

auxiliary avoir or **être** + past participle.

Examples

1. Perfect

J'**ai** travaill**é** aujourd'hui.

I have worked today.

....

2. Pluperfect

J'**avais** travaill**é** avant de venir.

I had worked before coming over.

....

3. Perfect

Je **suis** all**é** à Paris.

I have gone / went to Paris.

....

4. Pluperfect

J'**étais** all**é** à Paris avant de venir en Ecosse.

I had gone to Paris before coming over to Scotland.

....

The difference? In the pluperfect, unlike in the perfect, the auxiliary is no longer in the present tense ...

The rule is that if a verb uses "avoir" or "être" in the perfect, then the same applies to the pluperfect. The only change will be that "avoir" or "être" will be in their imperfect form.

j'av**ais**
tu av**ais**
il/elle av**ait**
nous av**ions**
vous av**iez**
ils/elles av**aient**

j'ét**ais**
tu ét**ais**
il/elle ét**ait**
nous ét**ions**
vous ét**iez**
ils/elles ét**aient**

Grammar: Pluperfect

Q39: Transform each of the sentences in the prefect tense into sentences in the pluperfect.

Go online

1. Je suis venu voir Cécile.
2. J'ai fait mes devoirs.
3. J'ai acheté un manuel de français.
4. Je suis partie en vacances en France.
5. J'ai reçu une bonne note.

....

Writing: The pluperfect

Make up five sentences using the pluperfect.
Show your work to your teacher or tutor when you have finished.

....

1.5 The pronoun *en*

Note: "en" tends to replace or refer to a noun introduced with "de"

A Je veux du chocolat, et toi ? - I want some chocolate, and you?
B Oui, j'en veux aussi ! - Yes, I want some, too!

A Je reviens de Paris, et toi ? - I have just come back from Paris, and you?
B Oui, j'en reviens aussi. - Yes, I have come back from there, too.

A Et toi, qu'est-ce que tu en penses ? - And you, what do you think about it?

(penser de quelque chose - to have an opinion of something)

Go online

Grammar: The pronoun *en*

Q40: Replace the underlined words with *en* and answer the questions as shown in the example.

Example Revenez-vous d'Italie ?

Oui, j'en reviens.

....

1. Vous voudriez du travail?
2. Vous rêvez de vivre en France ?
3. Vous consommez de l'électricité ?
4. Vous buvez du café?

....

....

Go online

Vocabulary revision

Choose the correct meaning of each phrase related to the world of work.

Q41:

1. être mécanicien: (mechanic, paediatric nurse, mechanical engineer)
2. être chef d'entreprise (restaurant cook, managing director, top entrepreneur)
3. occuper un poste (hijack a post office, hold a position in a company, be busy)
4. travailler jour et nuit (look for night-shift work, work day or night, work night and day)
5. obtenir une promotion (launch sales, obtain a good bargain, be promoted)
6. s'installer à l'étranger (settle with strangers, settle and feel estranged, settle abroad)
7. être propriétaire de son garage (own a garage, be appropriate)
8. être attiré par le monde de l'entreprise (be attracted by the world of entrepreneurship, be attracted by the business world, be attracted by the world of enterprise)
9. trouver un poste chez un importateur (find a post in imports, find a position with an import company, find a post for importation purposes
10. devenir directeur commercial (be commercially directed, become a director commercially, become a sales manager)
11. reprendre la direction de l'entreprise (take up enterprise again, give the company new direction, take over a company's management)
12. s'asocier à un fournisseur (partner up with a furnisher, partner up with a supplier, partner up with a furnishings specialist)
13. avoir de l'expérience (be sufficiently experienced, have no experience, have some experience)

14. répondre à une offre d'emploi (reply to a job offer, answer all employment offers, respond well to employment)
15. envoyer une candidature spontanée (send a spontaneous candidate profile, send a candidate spontaneously, send an application)
16. diriger une agence d'intérim (manage an interim agency, manage a placement agency for temporary work, manage an interim agency)
17. tenter sa chance (attempt and chance, try one's luck, take chances)
18. répondre aux besoins des clients (respond to clients, respond to clients in need, meet clients' needs)
19. apporter quelque chose de nouveau (bring something new, bring something unheard of, have a new idea)

....

Writing practice: Using phrases

Now, using 10 of the previous phrases, write something about you, or a friend, about what you/he/she would like to do.
Show your work to your teacher or tutor when you have finished.

....

1.6 ICT: les TIC

Translation: Les TIC

Go online

Translate the following paragraph into English.

Avant mon année de terminale, j'avais rêvé de devenir médecin et de travailler dans le domaine de la santé. Depuis, j'ai beaucoup réfléchi et je vais choisir une profession qui monte, comme programmeur. On nous répète qu'être fonctionnaire veut dire avoir la sécurité de l'emploi. Moi, je dis : pas question d'avoir un emploi à vie ! Je veux tenter ma chance et créer ma propre entreprise, peut-être dans les TIC. Ça devrait être passionnant même s'il faut travailler jour et nuit au début ! Si ça ne marche pas, je peux toujours entrer dans la fonction publique. Je pourrais devenir enseignant ! Qui vivra verra !

....

1.7 Summer work: Le travail d'été

To listen to these, you will need the following sound files:
hg-cfrh3-1-2vocab.mp3 (1-14)

colonies de vacances	holiday camps
au sein de	within
inoubliables	unforgettable
encadrement	management
entretien	maintenance
requise	required
comblés	fulfilled
précieux	valuable
profiter	to benefit
rémunération	payment
mis à jour	updated
entretien	interview
disponible	available
inscription	application

Vocabulary: Le travail d'été

Go online

Q42: There are many possible reasons for wishing to do summer work, whether it be paid or voluntary. Match up the reasons in French (1-10) with the correct English translations (a-j).

1. Vous voulez trouver un job à l'étranger et gagner de l'argent, tout en voyageant.	a) You need a linguistic stay in order to improve your foreign language skills.
2. Vous devez effectuer un stage dans le cadre de vos études.	b) You're attracted to doing international voluntary work.
3. Vous voulez mettre de l'argent de côté pour voyager ou pour votre vie étudiante plus tard.	c) You want to meet young people from all over the world.
4. Vous avez besoin d'un séjour linguistique pour améliorer vos compétences en langue étrangère.	d) You're looking to cover all of your expenses; that is, paid work.
5. Vous voulez ajouter de nouvelles compétences à votre CV.	e) You must complete a placement in your field of study.
6. Vous êtes attiré par le volontariat à l'international.	f) You want to find a job abroad and earn money whilst travelling.
7. Vous cherchez une expérience interculturelle.	g) You want to work in a young and dynamic environment.
8. Vous cherchez le recouvrement de tous les frais engagés ; c'est-à-dire ; le travail rémunéré.	h) You're looking for an intercultural experience.
9. Vous voulez rencontrer des jeunes du monde entier.	i) You want to put money aside to travel or for your student life later on.
10. Vous voulez travailler dans un environnement jeune et dynamique.	j) You want to add new skills to your CV.

. . . .

1.8 A great summer in the USA: Un été magnifique aux États-Unis

BUNAC, established in 1962, is now the UK's leading non-profit travel club offering great value work, travel and volunteer programmes in every continent. The work and travel programmes in Canada, USA, Australia, and New Zealand help you gain independence, confidence and international work experience, while BUNAC's wide range of volunteering and teaching placements in Africa, South and Central America and Asia offer the opportunity to make a real difference in the lives of those less fortunate.

The following text, taken from BUNAC's website in France, focuses on the Summer Camp USA programme.

Go online

Reading comprehension: Un été magnifique aux États-Unis

Un été magnifique aux Etats-Unis

Vous aimez le contact avec les enfants ? Vous appréciez l'ambiance particulière des colonies de vacances ? Vous pourrez alors travailler au sein d'un des traditionnels « Summer Camps » américains. Tout en profitant de la richesse naturelle des grands espaces de l'Amérique, vous partagerez le quotidien des enfants, participerez aux activités du Camp et ferez des rencontres inoubliables !

Nous vous proposons deux formules : 1. « Camp Counsellor » : accompagnateur-animateur, vous vous occupez de l'encadrement des enfants. Il est nécessaire d'avoir au moins une expérience significative dans le même poste. 2. « KAMP » - Kitchen & Maintenance Program: postes d'entretien, de maintenance, en cuisine ou dans les bureaux du Camp. Aucune expérience requise.

Plus de 400 étudiants français sont partis avec BUNAC depuis 1999, ayant offert leurs compétences et expériences professionnelles aux colonies de vacances aux Etats-Unis en échange d'un été inoubliable.

Comblés par cette expérience forte et enrichissante, partagée avec des jeunes du monde entier, ils reviennent en France avec un niveau d'anglais bien meilleur, un esprit plus ouvert et des souvenirs qu'ils garderont toute leur vie. Beaucoup d'entre eux ont tissé des relations d'amitié avec des étudiants originaires de plusieurs pays, qui seront la base d'un réseau de contacts précieux dans le contexte d'une mondialisation croissante.

D'autres ont pu profiter de cette première expérience afin d'organiser un stage technique ou professionnel ultérieur.

Les détails de la rémunération sont mis à jour chaque saison et vous pourrez vous renseigner à partir de février, avant le début de votre stage. La nourriture et le logement sont inclus.

Les deux programmes sont ouverts à tous les étudiants dès lors qu'ils remplissent les conditions d'éligibilité et peuvent se rendre à l'entretien individuel à Paris (sur rendez-vous) ainsi qu'à la réunion d'orientation obligatoire (date à confirmer en avril).

Les conditions requises pour les deux programmes :

- Avoir au moins 19 ans avant le 1er juin (ou 18 ans, en études supérieures)
- Etre disponible pour partir aux USA mi-juin (au plus tard le 20 juin) et y rester 8 à 9 semaines (jusqu'à la 2ème ou 3ème semaine d'août)
- Parler anglais avec un bon niveau (vérification lors de l'inscription)
- Avoir un passeport européen valable pour l'entrée aux États-Unis pour le programme SCUSA (animateurs)
- Aimer travailler avec les enfants
- Avoir une expérience d'encadrement/d'accompagnement d'enfants (scoutisme, groupe sportif, etc.)

Now answer the questions:

Paragraph 1

Vous aimez le contact avec les enfants ? Vous appréciez l'ambiance particulière des colonies de vacances ? Vous pourrez alors travailler au sein d'un des traditionnels « Summer Camps » américains. Tout en profitant de la richesse naturelle des grands espaces de l'Amérique, vous partagerez le quotidien des enfants, participerez aux activités du Camp et ferez des rencontres inoubliables !

Q43: What two things are you required to like if you are considering working on an American summer camp?

....

Q44: State any one benefit of working at an American summer camp.

....

Paragraph 2

Nous vous proposons deux formules : 1. « Camp Counsellor » : accompagnateur-animateur, vous vous occupez de l'encadrement des enfants. Il est nécessaire d'avoir au moins une expérience significative dans le même poste. 2. « KAMP » - Kitchen & Maintenance Program: postes d'entretien, de maintenance, en cuisine ou dans les bureaux du Camp. Aucune expérience requise.

Q45: As a 'camp counsellor', what will you need to do?

....

Q46: What experience is required to join the KAMP team?

....

Paragraph 3

Plus de 400 étudiants français sont partis avec BUNAC depuis 1999, ayant offert leurs compétences et expériences professionnelles aux colonies de vacances aux Etats-Unis en échange d'un été inoubliable.

Q47: What have French students brought to these American summer camps over the years?

....

Paragraph 4

Comblés par cette expérience forte et enrichissante, partagée avec des jeunes du monde entier, ils reviennent en France avec un niveau d'anglais bien meilleur, un esprit plus ouvert et des souvenirs qu'ils garderont toute leur vie. Beaucoup d'entre eux ont tissé des relations d'amitié avec des étudiants originaires de plusieurs pays, qui seront la base d'un réseau de contacts précieux dans le contexte d'une mondialisation croissante.

Q48: After working on an American camp, what do the students return to France with? Mention two things.

....

Paragraph 5

D'autres ont pu profiter de cette première expérience afin d'organiser un stage technique ou professionnel ultérieur.

Q49: What have some students been able to do, following their camp experience?

....

Paragraph 6

Les détails de la rémunération sont mis à jour chaque saison et vous pourrez vous renseigner à partir de février, avant le début de votre stage. La nourriture et le logement sont inclus.

Q50: What information will students be able to find, from February onwards?

....

Q51: In addition to basic payment, what do summer camp workers also receive?

....

Paragraph 7

Les deux programmes sont ouverts à tous les étudiants dès lors qu'ils remplissent les conditions d'éligibilité et peuvent se rendre à l'entretien individuel à Paris (sur rendez-vous) ainsi qu'à la réunion d'orientation obligatoire (date à confirmer en avril).

Les conditions requises pour les deux programmes :

- Avoir au moins 19 ans avant le 1er juin (ou 18 ans, en études supérieures)
- Etre disponible pour partir aux USA mi-juin (au plus tard le 20 juin) et y rester 8 à 9 semaines (jusqu'à la 2ème ou 3ème semaine d'août)
- Parler anglais avec un bon niveau (vérification lors de l'inscription)
- Avoir un passeport européen valable pour l'entrée aux États-Unis pour le programme SCUSA (animateurs)
- Aimer travailler avec les enfants
- Avoir une expérience d'encadrement/d'accompagnement d'enfants (scoutisme, groupe sportif, etc.)

Q52: Which two events do students have to attend in Paris, if they want to work on a summer camp?

....

Q53: How long is an average camp worker's contract?

....

Q54: What is checked when applicants sign up to work at the camps?

....

Q55: What example of prior experience could an applicant for the position of 'camp counsellor' give?

....

....

1.9 Study and career plans: Les plans d'études et de carrière

To listen to these, you will need the following sound files:
hg-cfrh3-1-3vocab.mp3 (1-32)

conseils	advice
méticuleuse	meticulous, thorough
soin	care
centre de documentation	library (in school)
expérience professionnelle	work experience
entretien	interview
conseiller d'orientation	careers adviser
centre d'accueil	'drop-in' centre
inscrivez-vous	sign yourselves up
trousse à outils	tool box
savoir-faire	'know-how', knowledge
compétences	skills
métiers	jobs
cursus	degree course
licence	degree
défi	challenge
antérieures	previous
journées 'portes-ouvertes'	open days
directeurs des études	directors of studies
licenciés	graduates
inscriptions	applications
candidature	application
dates de clôture	closing dates
critères de sélection	selection criteria
embauché	employed
conventions de travail	careers fairs
fiches de candidature	application forms
dans le coin	in the area
annonces	advertisements
coordonnés	contact details
centre de formation	training centre
clé	key

Read the following information leaflet provided by a Scottish Secondary School's Careers office. A careers advisor gives students information about future study and career opportunities. The leaflet has been translated into French in order to help exchange students understand and perhaps consider Scottish options at some point in their future lives.

Les conseils d'une conseillère d'orientation professionnelle

Conseils généraux

Une préparation méticuleuse et la recherche approfondie de vos idées sont essentielles à la construction d'un bon plan de carrière. Il y a beaucoup de bons conseils que l'on peut trouver sur Internet. Vous pouvez aussi utiliser le coin 'Carrières' au centre de documentation.

Essayez d'obtenir de l'expérience professionnelle liée avec le genre d'emploi qui vous intéresse. Lisez les brochures et si vous voulez, organisez un entretien avec le conseiller d'orientation.

Au collège, il y a un centre d'accueil 'emploi' où vous pouvez vous rendre sans rendez-vous les mercredis pendant l'heure du déjeuner et aussi à la fin de la journée scolaire. Voici votre occasion d'obtenir des réponses rapides à vos questions.

Renseignez-vous sur Internet

Inscrivez-vous au site web www.myworldofwork.co.uk et le careerometer sur www.planitplus.net. Là, vous trouverez la trousse à outils 'emploi' où vous pouvez sélectionner les outils que vous voulez utiliser. Ces sites vous aideront à savoir ce qu'il y a comme travail et qui pourrait vous aider à suivre le bon chemin. Essayez les tests d'aptitudes pour découvrir vos savoir-faire et 'MyDNA' pour vous aider à mieux vous connaître ; par exemple, vos qualités et les genres d'activités qui vous plaîsent sur le lieu de travail. Vous gagnerez donc en confiance ! Il y a aussi une section où vous trouverez beaucoup d'articles au sujet de l'importance des compétences et comment les utiliser à l'école ou au travail. Avec 'Les carrières A-Z', vous trouverez tout ce que vous voulez savoir au sujet de centaines de métiers différents, par exemple ; les tâches, les salaires moyens, les compétences, les qualifications et l'expérience nécessaire. Il est possible aussi de regarder des vidéos de gens qui parlent de leurs métiers et la manière dont ils les ont obtenus.

Choisir le bon cursus à l'université

Il y a un nombre d'aspects qu'il faut considérer quand on fait un choix de cursus. Il y a plus de 45,000 licences offertes au Royaume-Uni. Tandis que beaucoup d'elles seront pour des matières que vous connaissez déjà ; un grand nombre existe aussi pour des matières que vous n'avez peut-être pas encore rencontrées. Vous aimeriez peut-être considérer :

- Une matière que vous avez déjà étudiée : si vous avez une matière préférée au collège, vous pourrez continuer avec celle-ci à l'université. Le fait que vous l'aimez indique en général que vous aimerez cette matière également à l'université et donc vous aurez plus de chances de réussir.
- Un cursus qui mène à un métier, en particulier comme, par exemple, la médecine, les postes dans le secteur de la santé, l'enseignement, le droit, l'architecture. Pourtant, avant de poser votre candidature pour ces licences, il faut veiller à bien faire ses recherches et de se renseigner sur le métier.
- Un nouveau défi : beaucoup de cursus à l'université ne demandent pas d'études antérieures. Donc, votre choix pourrait être guidé par un intérêt, un loisir ou tout simplement ce que vous avez découvert dans le contenu du cursus.

Quel que soit votre choix de matière, la chose la plus importante est que vous la trouviez intéressante et que ça vous plaise. Ainsi, vous profiterez plus de votre expérience universitaire.

Plusieurs universités organisent des journées 'portes-ouvertes' où il est possible de faire un tour, parler avec les directeurs des études et en savoir plus. Il faudrait aussi se renseigner au sujet de vos finances et autres choses 'étudiantes'. De plus, il serait utile de consulter les statistiques concernant les emplois qui font des licenciements à l'heure actuelle car il faut penser aux perspectives d'avenir et les possibilités d'avancement de telle ou telle licence.

Les demandes d'inscription

Les études supérieures : Il faut se renseigner auprès des établissements d'enseignement supérieur le plus tôt possible et et s'inscrire tôt (février/mars) pour les cours qui commencent en août.

Les universités : Pour les licences en faculté, il faut poser sa candidature sur le site web 'UCAS'. Il faut faire attention aux dates de clôture. Dans certains cas, il faut faire plus que ça ; un examen d'entrée, faire preuve d'une expérience professionnelle ou passer une audition. Il faut utiliser les sites web des universités spécifiques pour se renseigner sur leurs licences et les critères de sélection.

La recherche d'un emploi ou d'un apprentissage

Si vous comptez trouver un travail quand vous quitterez le lycée, commencez à chercher dès février/mars. Il faut regarder les sites web des employeurs directement, car 80% d'offres d'emploi ne sont pas annoncées. Vérifiez aussi les sites web des agences de recrutement. En même temps, demandez aux amis et à la famille.

Si vous n'avez pas beaucoup de contacts, vous pourriez organiser un rendez-vous avec quelqu'un déjà embauché dans le secteur du travail qui vous intéresse. Appelez une entreprise du coin pour voir si quelqu'un serait prêt à discuter de leur rôle. Au site web, il y a aussi des conseils sur comment utiliser les réseaux sociaux pour trouver du travail.

Les conventions de travail sont très utiles ; on peut y trouver directement des fiches de candidature pour les postes dans le coin et même quelquefois, organiser ou faire les entretiens sur place; une excellente occasion de parler directement aux employeurs.

N'oubliez pas les journaux et les magazines où se trouvent des annonces et des articles sur les possibilités d'emploi, avec les noms et les coordonnés. Faites des essais spéculatifs ; c'est-à-dire, contactez une entreprise qui vous intéresse pour voir s'ils recrutent, même s'ils n'annoncent pas de postes.

Votre centre de formation local peut vous donner des renseignements supplémentaires concernant les programmes de formation et de stages dans le coin.

Surtout, il faut commencer à bien se préparer MAINTENANT. La préparation en avance est la clé pour réussir ses ambitions sur le plan professionnel !

Go online

Reading comprehension: Les plans d'études et de carrière

Conseils généraux

Une préparation méticuleuse et la recherche approfondie de vos idées sont essentielles à la construction d'un bon plan de carrière. Il y a beaucoup de bons conseils que l'on peut trouver sur Internet. Vous pouvez aussi utiliser le coin 'Carrières' au centre de documentation.

Essayez d'obtenir de l'expérience professionnelle liée avec le genre d'emploi qui vous intéresse. Lisez les brochures et si vous voulez, organisez un entretien avec le conseiller d'orientation.

Au collège, il y a un centre d'accueil 'emploi' où vous pouvez vous rendre sans rendez-vous les mercredis pendant l'heure du déjeuner et aussi à la fin de la journée scolaire. Voici votre occasion d'obtenir des réponses rapides à vos questions.

Q56:

Put each statement and piece of advice given below into the correct order, according to when it is mentioned in the text.

a) Try to get relevant work experience
b) Look at advice online
c) Go to the school's careers drop in sessions
d) Prepare things thoroughly
e) Research ideas with care
f) Use the careers section of the library
g) Read brochures
h) Arrange an interview with the career's adviser

....

Renseignez-vous sur Internet

Inscrivez-vous au site web www.myworldofwork.co.uk et le careerometer sur www.planitplus.net. Là, vous trouverez la trousse à outils 'emploi' où vous pouvez sélectionner les outils que vous voulez utiliser. Ces sites vous aideront à savoir ce qu'il y a comme travail et qui pourrait vous aider à suivre le bon chemin. Essayez les tests d'aptitudes pour découvrir vos savoir-faire et 'MyDNA' pour vous aider à mieux vous connaître ; par exemple, vos qualités et les genres d'activités qui vous plaîsent sur le lieu de travail. Vous gagnerez donc en confiance ! Il y a aussi une section où vous trouverez beaucoup d'articles au sujet de l'importance des compétences et comment les utiliser à l'école ou au travail. Avec 'Les carrières A-Z', vous trouverez tout ce que vous voulez savoir au sujet de centaines de métiers différents, par exemple ; les tâches, les salaires moyens, les compétences, les qualifications et l'expérience nécessaire. Il est possible aussi de regarder des vidéos de gens qui parlent de leurs métiers et la manière dont ils les ont obtenus.

Q57:

Here is a list of the things you can find to help you on the internet. Put them in the correct order as you spot them in the text.

a) A careers guide giving details of hundreds of jobs
b) Aptitude tests
c) Clips of people talking about the job they do
d) Tests which allow you to discover your qualities and preferred work-type activities
e) An employment toolbox
f) Articles about the importance of skills and how to use them

....

Choisir le bon cursus à l'université

Il y a un nombre d'aspects qu'il faut considérer quand on fait un choix de cursus. Il y a plus de 45,000 licences offertes au Royaume-Uni. Tandis que beaucoup d'elles seront pour des matières que vous connaissez déjà ; un grand nombre existe aussi pour des matières que vous n'avez peut-être pas encore rencontrées. Vous aimeriez peut-être considérer :

- Une matière que vous avez déjà étudiée : si vous avez une matière préférée au collège, vous pourrez continuer avec celle-ci à l'université. Le fait que vous l'aimez indique en général que vous aimerez cette matière également à l'université et donc vous aurez plus de chances de réussir.
- Un cursus qui mène à un métier, en particulier comme, par exemple, la médecine, les postes dans le secteur de la santé, l'enseignement, le droit, l'architecture. Pourtant, avant de poser votre candidature pour ces licences, il faut veiller à bien faire ses recherches et de se renseigner sur le métier.
- Un nouveau défi : beaucoup de cursus à l'université ne demandent pas d'études antérieures. Donc, votre choix pourrait être guidé par un intérêt, un loisir ou tout simplement ce que vous avez découvert dans le contenu du cursus.

Quel que soit votre choix de matière, la chose la plus importante est que vous la trouviez intéressante et que ça vous plaise. Ainsi, vous profiterez plus de votre expérience universitaire.

Plusieurs universités organisent des journées 'portes-ouvertes' où il est possible de faire un tour, parler avec les directeurs des études et en savoir plus. Il faudrait aussi se renseigner au sujet de vos finances et autres choses 'étudiantes'. De plus, il serait utile de consulter les statistiques concernant les emplois qui font des licenciements à l'heure actuelle car il faut penser aux perspectives d'avenir et les possibilités d'avancement de telle ou telle licence.

Q58: Put these in the correct order as you spot them in the text.

a) Consider a new challenge.
b) University Open Days are a good way to find out more about courses.
c) It's important to choose subjects that you find interesting and enjoyable.
d) Consider choosing a course that leads to a profession.
e) By choosing a course in this way, you'll gain the most from your university experience.
f) Consider pursuing a subject that you've already studied.
g) Open Days are an opportunity to get information about finances and other student matters.

....

Les demandes d'inscription

Les études supérieures : Il faut se renseigner auprès des établissements d'enseignement supérieur le plus tôt possible et et s'inscrire tôt (février/mars) pour les cours qui commencent en août.

Les universités : Pour les licences en faculté, il faut poser sa candidature sur le site web 'UCAS'. Il faut faire attention aux dates de clôture. Dans certains cas, il faut faire plus que ça ; un examen d'entrée, faire preuve d'une expérience professionnelle ou passer une audition. Il faut utiliser les sites web des universités spécifiques pour se renseigner sur leurs licences et les critères de sélection.

Q59:

Put these in the correct order as you spot them in the text.

a) You might need to do an entrance exam.
b) Use websites to find out more about the selection criteria.
c) Contact colleges soon for information.
d) Pay attention to the closing dates.
e) You might need to submit details about your work experience.
f) Apply early for courses beginning in August.

....

La recherche d'un emploi ou d'un apprentissage

Si vous comptez trouver un travail quand vous quitterez le lycée, commencez à chercher dès février/mars. Il faut regarder les sites web des employeurs directement, car 80% d'offres d'emploi ne sont pas annoncées. Vérifiez aussi les sites web des agences de recrutement. En même temps, demandez aux amis et à la famille.

Si vous n'avez pas beaucoup de contacts, vous pourriez organiser un rendez-vous avec quelqu'un déjà embauché dans le secteur du travail qui vous intéresse. Appelez une entreprise du coin pour voir si quelqu'un serait prêt à discuter de leur rôle. Au site web, il y a aussi des conseils sur comment utiliser les réseaux sociaux pour trouver du travail.

Les conventions de travail sont très utiles ; on peut y trouver directement des fiches de candidature pour les postes dans le coin et même quelquefois, organiser ou faire les entretiens sur place; une excellente occasion de parler directement aux employeurs.

N'oubliez pas les journaux et les magazines où se trouvent des annonces et des articles sur les possibilités d'emploi, avec les noms et les coordonnés. Faites des essais spéculatifs ; c'est-à-dire, contactez une entreprise qui vous intéresse pour voir s'ils recrutent, même s'ils n'annoncent pas de postes.

Votre centre de formation local peut vous donner des renseignements supplémentaires concernant les programmes de formation et de stages dans le coin.

Surtout, il faut commencer à bien se préparer MAINTENANT. La préparation en avance est la clé pour réussir ses ambitions sur le plan professionnel !

Q60:

Put these in the correct order as you spot them in the text.

a) Organise a meeting with someone already in the line of work that interests you.
b) Go to careers conventions.
c) Start looking for work from February/March.
d) Go directly onto employers' websites.
e) Ask your friends and family.
f) Look at the advertisements in newspapers and magazines.
g) Contact employers that interest you even if there are no positions advertised.
h) Start your preparation now.
i) Check recruitment agencies.
j) Get advice from your local training centre.
k) Use social networks.

....

1.10 Listening comprehension: Rouen council

You are going to listen to some radio publicity. It raises awareness of a resource package created by Rouen council, in order to help its citizens with their search for employment.

Go online

Vocabulary: Rouen council

To help you with what you are about to hear, first match up the French and English vocabulary below. You will need to use exactly these words in the next activity to fill in the gaps.

Q61:

a.	échéances	1.	tools
b.	démarches	2.	step by step
c.	cadre	3.	skill
d.	outils	4.	obstacles
e.	compétence	5.	work/employment
f.	temps-plein	6.	directories
g.	obstacles	7.	realistic objectives
h.	emploi	8.	framework
i.	pas à pas	9.	steps/actions
j.	objectifs (réalisables)	10.	full-time
k.	annuaires	11.	deadlines

....

Q62:

a.	(lettre de) motivation	1.	advertisements
b.	recherche	2.	market
c.	efficace	3.	stage
d.	bilan	4.	research
e.	pôle (emploi)	5.	keys
f.	délais	6.	letter of application
g.	marché	7.	training
h.	étape	8.	job centre
i.	clés	9.	efficient
j.	formation	10.	time limits
k.	annonces	11.	check-up/ statement

....

Vocabulary 2: Rouen council

Go online

To complete this exercise, you will need the following sound file:
hg-cfrh3-1-5listening.mp3

Q63: Vous êtes à la 1...............d'un 2............... ? Comment mettre toutes les chances de votre côté pour atteindre au plus vite votre objectif ? Savoir comment s'y prendre et par quel bout commencer, ce n'est pas toujours évident...

....

Q64: Pour être 3..............., vous devez disposer des bons 4............... et démarrer votre recherche avec un minimum de méthode et d'organisation. Notre guide vous donne les 5..............., étape par 6..............., pour structurer, planifier votre recherche et vous positionner sur le marché de l'emploi : établir un bilan de votre parcours, étudier votre 7............... de l'emploi, construire votre CV, sélectionner des 8..............., rédiger une lettre de 9..............., utiliser internet. Il ne vous reste plus qu'à passer à l'action !

....

Q65: Votre 10............... emploi est là pour vous aider dans vos 11............... quotidiennes. Renseignez-vous sur les outils mis à votre disposition : postes informatiques, consultations d'annonces, de magazines professionnels ou spécialisés, photo- copieurs, téléphones, documentation, 12............... d'entreprises. Pensez à établir une liste des personnes qui pourront vous conseiller dans votre parcours : proches, professionnels, réseaux relationnels. Tenez compte de vos contraintes et identifiez les 13............... Il vous faudra imaginer comment les dépasser en cherchant, par exemple, des 14............... possibles.

....

Q66: Vous aurez peut-être une 15............... rare : par exemple, vous parlez parfaitement le russe. Ou bien vous avez une double compétence : vous êtes commercial et pratiquez un sport à haut niveau. Connaissez-vous tous les secteurs et/ou entreprises qui pourraient avoir besoin de votre talent ?

....

Q67: La recherche d'emploi est une activité à 16............... Comme il est naturel de le faire dans le 17..............., il faut savoir organiser ce temps et adopter une démarche structurée.

....

Q68: Structurez votre réflexion et planifiez votre emploi du temps. Bâtissez-vous un calendrier, avec des 18............... réalisables et des 19..............., jour après jour. Pour être efficace, rien de tel que de se fixer des 20............... N'hésitez pas à faire un 21............... régulier de vos démarches. Vous mesurerez, 22..............., l'efficacité de chacune de vos actions et ce que vous pourrez améliorer ou rectifier.

....

Go online

Translation: Rouen council

Translate sections 4 & 5 of the transcript into English.

Q69:

Vous aurez peut-être une compétence rare : par exemple, vous parlez parfaitement le russe. Ou bien vous avez une double compétence : vous êtes commercial et pratiquez un sport à haut niveau. Connaissez-vous tous les secteurs et/ou entreprises qui pourraient avoir besoin de votre talent ?

La recherche d'emploi est une activité à temps plein. Comme il est naturel de le faire dans le cadre du travail, il faut savoir organiser ce temps et adopter une démarche structurée.

....

1.11 Gap year: L'année sabbatique

Working at some point during your gap year is a good option to consider. It allows you to be independent, to sustain travelling or to save money for future travels (perhaps later on in your gap year). You may also find it useful for your student years ahead.

To listen to these, you will need the following sound files:
hg-cfrh3-1-6vocab.mp3 (1-14)

faisant des économies	making savings
collecte de fonds	fundraising
vols	flights
plongée	diving
frais	expenses
graphisme	graphic design
jumelé	twinned
faire du bénévolat	to do voluntary work
protection de la nature	conservation
de flore et faune sauvages	wildlife
espèces en voie de disparition	endangered species
direction d'évènements	events management
orphelinats	orphanages
maisons d'accueil	care homes

Read the article and answer the questions that follow.

Travailler pendant son année sabbatique

Des idées gratuites ou bon marché

Pas tout le monde n'aura l'argent pour financer tout ce qu'ils ont envie de faire pendant leur année sabbatique. Quelques jeunes s'organiseront plusieurs ans en avance pour avoir de l'argent, en travaillant, en faisant des économies ou en faisant la collecte de fonds, mais ceci n'est pas toujours possible.

Les projets chers sont ceux qui se trouvent loin, comme en Australie et en Thaïlande, par exemple, et les prix des vols sont chers. D'autres sont chers à cause des activités comme la plongée ou l'alpinisme. Donc, une première solution serait de choisir un projet plus près ; il y a beaucoup de possibilités au Royaume-Uni ou en Europe. Quand même, l'activité la moins chère est de gagner de l'argent en même temps. Ainsi, vous aurez l'expérience de vivre ailleurs et de payer les frais de transport avec votre salaire.

L'expérience professionnelle à l'étranger

Si le journalisme vous intéresse, le programme 'Journalisme en Bolivie' dure d'un à douze mois. Au bureau du journal 'Bolivia Express' à La Paz, vous travaillerez sur tous les aspects de recherche et de production des articles. En plus, des experts vous donneront des cours en photographie, en cinéma et en graphisme. Vous aurez aussi du logement et des cours en espagnol à une variété de niveaux. Vous serez jumelé avec un partenaire à La Paz et encouragé à découvrir la culture bolivienne. Vous créerez quatre pages pour le journal chaque mois.

L'école Hutong offre des stages professionnels pour tous niveaux d'expérience en même temps que des cours de chinois. Habitez à Beijing, gagnez des compétences dans un domaine qui vous intéresse et apprenez la langue.

Si vous comptez faire des études en médecine ou devenir infirmier, Gap Medics peut vous trouver un stage dans les hôpitaux aux Caraïbes, en Inde et en Tanzanie.

Voyager à l'étranger et apprendre les langues

Il y a beaucoup de compagnies qui offrent des cours de langue mais ils sont chers. L'échange des langues, pourtant, offre l'occasion de nouer des contacts et pratiquer la langue. Vous pouvez faire partie d'une communauté d'échange en ligne avant d'organiser un séjour chez quelqu'un. En échange, ils peuvent rester chez vous pendant une même période de temps.

Il y a actuellement plus de 18 000 membres de 140 pays, qui pratiquent 80 langues et le service est gratuit. Tout ce que vous devez payer est le billet d'avion si vous décidez finalement de faire le programme d'échange.

Enseigner les langues à l'étranger

Un bon choix pour ceux qui ont vraiment envie de voyager mais qui n'ont pas assez d'argent. Pas besoin d'expérience mais il est possible de donner des cours d'enseignement pour environ 200 euros. C'est une très bonne façon de financer les voyages. Vous pouvez faire partie d'une communauté et recevoir une immersion culturelle complète.

Les programmes de travail structurés

Un nombre de compagnies offre des occasions 'années sabbatiques' où les employés non seulement gagnent de l'expérience mais aussi un salaire compétitif. Les postes ressembleront plus aux postes des licenciés, donc vous gagnerez le savoir-faire et des atouts importants pour votre emploi à l'avenir.

Faire du bénévolat

Il est possible, avec certaines organisations, de combiner ; la protection de la nature (par exemple ; des recherches de flore et faune sauvages, travailler avec les espèces en voie de disparition et les écosystèmes sensibles) AVEC un stage en droit, marketing, agriculture, direction d'évènements et l'industrie hôtellière (période recommandée ; 4 semaines)

D'autres projets au Belize, Cambodge, Népal, Pérou, Afrique du sud sont plus au long terme. Vous pourriez travailler avec les enfants et les communautés défavorisés, vous occuper des éléphants et des animaux sauvages, faire un projet de la protection de la jungle, la protection marine, la construction en communautés ou travailler dans les orphelinats ou les maisons d'accueil.

Go online

Reading comprehension: L'année sabbatique

Des idées gratuites ou bon marché

Pas tout le monde n'aura l'argent pour financer tout ce qu'ils ont envie de faire pendant leur année sabbatique. Quelques jeunes s'organiseront plusieurs ans en avance pour avoir de l'argent, en travaillant, en faisant des économies ou en faisant la collecte de fonds, mais ceci n'est pas toujours possible.

Les projets chers sont ceux qui se trouvent loin, comme en Australie et en Thaïlande, par exemple, et les prix des vols sont chers. D'autres sont chers à cause des activités comme la plongée ou l'alpinisme. Donc, une première solution serait de choisir un projet plus près ; il y a beaucoup de possibilités au Royaume-Uni ou en Europe. Quand même, l'activité la moins chère est de gagner de l'argent en même temps. Ainsi, vous aurez l'expérience de vivre ailleurs et de payer les frais de transport avec votre salaire.

Q70: Which two factors could make a gap year experience expensive?

....

Q71: Which two solutions are given, in order to experience a cheaper gap year?

....

L'expérience professionnelle à l'étranger

Si le journalisme vous intéresse, le programme 'Journalisme en Bolivie' dure d'un à douze mois. Au bureau du journal 'Bolivia Express' à La Paz, vous travaillerez sur tous les aspects de recherche et de production des articles. En plus, des experts vous donneront des cours en photographie, en cinéma et en graphisme. Vous aurez aussi du logement et des cours en espagnol à une variété de niveaux. Vous serez jumelé avec un partenaire à La Paz et encouragé à découvrir la culture bolivienne. Vous créerez quatre pages pour le journal chaque mois.

L'école Hutong offre des stages professionnels pour tous niveaux d'expérience en même temps que des cours de chinois. Habitez à Beijing, gagnez des compétences dans un domaine qui vous intéresse et apprenez la langue.

Si vous comptez faire des études en médecine ou devenir infirmier, Gap Medics peut vous trouver un stage dans les hôpitaux aux Caraïbes, en Inde et en Tanzanie.

Q72: With the Journalism in Bolivia programme, what do you work on?

....

Q73: In addition to the main work, what do you get a chance to do? Mention two things.

....

Q74: What does the Hutong school offer?

....

Q75: What kind of young people would be suitable for the Gap Medics experience?

....

Voyager à l'étranger et apprendre les langues

Il y a beaucoup de compagnies qui offrent des cours de langue mais ils sont chers. L'échange des langues, pourtant, offre l'occasion de nouer des contacts et pratiquer la langue. Vous pouvez faire partie d'une communauté d'échange en ligne avant d'organiser un séjour chez quelqu'un. En échange, ils peuvent rester chez vous pendant une même période de temps.

Il y a actuellement plus de 18 000 membres de 140 pays, qui pratiquent 80 langues et le service est gratuit. Tout ce que vous devez payer est le billet d'avion si vous décidez finalement de faire le programme d'échange.

Q76: What is the suggested alternative to expensive language lessons?

....

Q77: What do you need to do for language exchange, before you go abroad?

....

Q78: What costs are involved with this?

....

Enseigner les langues à l'étranger

Un bon choix pour ceux qui ont vraiment envie de voyager mais qui n'ont pas assez d'argent. Pas besoin d'expérience mais il est possible de donner des cours d'enseignement pour environ 200 euros. C'est une très bonne façon de financer les voyages. Vous pouvez faire partie d'une communauté et recevoir une immersion culturelle complète.

Les programmes de travail structurés

Un nombre de compagnies offre des occasions 'années sabbatiques' où les employés non seulement gagnent de l'expérience mais aussi un salaire compétitif. Les postes ressembleront plus aux postes des licenciés, donc vous gagnerez le savoir-faire et des atouts importants pour votre emploi à l'avenir.

Q79: What is the difference between structured work programmes and casual work?

....

Faire du bénévolat

Il est possible, avec certaines organisations, de combiner ; la protection de la nature (par exemple ; des recherches de flore et faune sauvages, travailler avec les espèces en voie de disparition et les écosystèmes sensibles) AVEC un stage en droit, marketing, agriculture, direction d'évènements et l'industrie hôtellière (période recommandée ; 4 semaines)

D'autres projets au Belize, Cambodge, Népal, Pérou, Afrique du sud sont plus au long terme. Vous pourriez travailler avec les enfants et les communautés défavorisés, vous occuper des éléphants et des animaux sauvages, faire un projet de la protection de la jungle, la protection marine, la construction en communautés ou travailler dans les orphelinats ou les maisons d'accueil.

Q80: What do some organisations allow you to do?

....

Q81: Give two examples of more long term voluntary work experiences.

....

....

1.12 Listening: Laurence

Listen to the following interview, where 19 year old Laurence Albert talks about the gap year she has decided to take following her success with the baccalauréat, and then answer the multiple choice questions.

Listening comprehension: Laurence

Go online

To complete this exercise, you will need the following sound file:
hg-cfrh3-1-7listening.mp3

Q82: One of Laurence's main reasons for taking a gap year was:

a) to rest after the demanding school year.
b) to travel.
c) to improve her languages.

....

Q83: Another reason for taking a gap year was:

a) to gain independence and better life skills.
b) to have the time to consider her future direction of study/career.
c) to meet new people.

....

Q84: Pick the most accurate statement.

a) Laurence's friends and family thought that taking a gap year was a good decision.
b) Laurence's friends were very positive about the gap year idea.
c) Laurence's family were supportive and understanding.

....

Q85: Laurence:

a) has some regrets about her gap year decision.
b) has no regrets about her decision.
c) now understands the pros and cons of gap years better.

....

Q86: If Laurence had gone to university straight away, she would have:

a) dropped out of the course in first year.
b) enjoyed the new university experience as much as the gap year.
c) done badly as a result of overdoing academic work.

....

Q87: Pick the most accurate statement.

a) Laurence waits until she gets abroad to look for work.
b) Laurence looks for work before she goes abroad.
c) Laurence finds work through word of mouth.

....

Q88: Pick the most accurate statement.

a) Laurence is interested in both voluntary and paid work.
b) Laurence is only interested in paid work.
c) Laurence is only interested in voluntary work.

....

Q89: During her gap year, Laurence has already worked as a:

a) shop assistant.
b) fruit picker.
c) waitress/bar maid.

....

Q90: Laurence will travel:

a) in Europe only.
b) all over the world.
c) mainly in the United States.

....

Q91: On return from her gap year experiences, Laurence hopes:

a) to be better off financially.
b) that she will feel more ready to cope with university.
c) that employers and lecturers will recognise the richness of her experience.

....

1.13 Vocabulary: Laurence

To listen to these, you will need the following sound file:
hg-cfrh3-1-8vocab10.mp3 (1-11)

orientation	direction
mitigée	mixed, lukewarm
soutien	support
mûrir	ripen, mature, develop
cursus	university course
par défaut	by default
consacres	dedicate/devote
organismes spécialisés	specialist organisations
projets de volontariat	voluntary projects
démarche	action, step
richesse	richness

Vocabulary: Laurence

Go online

Translate these into English.

Q92:

orientation	
mitigée	
soutien	
mûrir	
cursus	
par défaut	
consacres	
organismes spécialisés	
projets de volontariat	
démarche	
richesse	

....

1.14 Career path: Votre orientation de métier et de formation

Career direction needs to be considered at various stages of life; whether we are leaving school, finding new opportunities, limited in our current position or facing unemployment. It's also important to take stock regularly of our likes and dislikes and of how our career is progressing, in order to get the best out of potential development and training opportunities. The right career is out there for everyone.

Reading exercise: Votre orientation de métier et de formation

Go online

Q93:

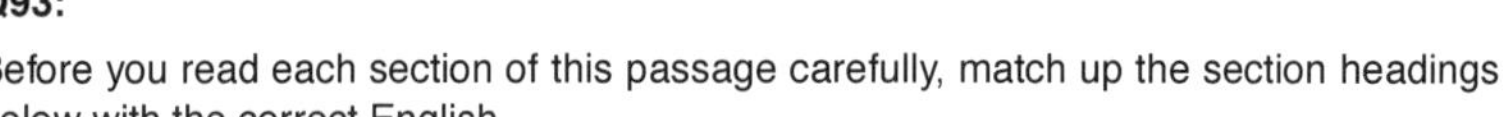

Before you read each section of this passage carefully, match up the section headings below with the correct English.

1. Pensez large	a. Make a list of the things you don't want
2. Visez haut	b. Choose up to 7 training route options
3. Réalisez un bilan de personnalité ou bilan personnel	c. Analyse the employment market
4. Définissez vos envies de secteurs puis de métiers	d. Aim high
5. Identifiez une liste de vos contre-envies.	e. Listen to others, but it's for you to decide
6. Mesurez votre envie de formation	f. Work out what you hope to have achieved by the end of years 1, 2 & 5 of this professional journey
7. Choisissez jusqu'à 7 alternatives de formation	g. Work out the extent of your willingness to undertake further training
8. Ecoutez les autres mais c'est à vous de choisir	h. Do a quality or a personal assessment
9. Analysez le marché de l'emploi	i. Don't narrow your options, keep an open mind
10. Définissez votre parcours à 1, 2 et 5 ans	j. Establish your preferred employment sectors, and then jobs

....

Reading comprehension: 10 conseils d'orientation pour avoir une démarche constructive

Go online

1. Pensez large

Règles d'or pour toute réflexion : aucune idée est mauvaise ou stupide ; oubliez tout votre passé, votre formation initiale, les vieux réflexes de pensée, la pression parentale ou sociale de vos amis. Vous devez d'abord penser à vous et à votre vie. Pensez donc large sans contrainte de temps, d'argent et sans contrainte géographique à l'idéal qu'avez-vous envie de faire dans la vie. Mettez de côté la question de l'argent ; un prêt étudiant, une bourse c'est facile à trouver si vous êtes motivé par votre projet.

2. Visez haut

Il est important de connaître ses limites et d'être réaliste dans la réalisation de ses projets mais il est aussi très important de rêver et d'avoir de l'ambition. Parfois par manque d'assurance nous ne voyons pas en grand nos projets et c'est dommage de ne pas aller plus loin. Alors, visez haut ! Une fois votre voie trouvée vous pourriez être surpris de vos capacités et de votre volonté. Si vous êtes motivé vous y arriverez !

3. Réalisez un bilan de personnalité ou bilan personnel

Réalisez un bilan de personnalité pour vous permettre de mieux vous connaître et identifier des pistes de réflexion peut-être pas encore envisagées. Certains tests vous donnent aussi concrètement des métiers adaptés à votre personnalité. Généralement un bilan de personnalité ne va pas vous apprendre de grandes choses nouvelles sur vous... mais plutôt vous confirmer des idées et vous faire prendre conscience de traits de personnalité importants qui ensuite vous guideront dans le choix de métiers puis de formation.

4. Définissez vos envies de secteurs puis de métiers

Il est très dur, à 17 ou 24 ans, de savoir précisément quel job sera le job de votre vie. Il faut d'abord définir des secteurs ou domaines d'activité (au moins trois ; ne vous arrêtez pas au premier domaine) que vous aimez. Puis, vous aurez le temps d'affiner votre réflexion pour ensuite cibler un job en particulier.

5. Identifiez une liste de vos contre-envies

"Je déteste les chiffres", "le travail d'équipe m'énerve", "devoir négocier me stresse", "c'est trop abstrait comme métier"... Il est intéressant d'énumérer les métiers, missions, secteurs que vous n'aimez pas. Cette réflexion à l'inverse peut vous permettre de retirer des options ou prendre conscience d'envies. C'est bizarre mais ça peut aider !

6. Mesurez votre envie de formation

Êtes-vous prêt à faire des études de 5 ans ? Plutôt en alternance ou en voie traditionnelle ? Encadré à l'école ou indépendant à la fac ? Êtes-vous pressé d'arriver sur le marché de l'emploi ou non ? Il est important de connaître vos envies/capacités pour mieux choisir la formation adaptée à vos envies.

7. Choisissez jusqu'à 7 alternatives de formation

Renseignez-vous sur les formations adaptées aux secteurs et métiers envisagés dans les contraintes de vos envies de type de formation. Il est important de noter que si vous n'avez pas une grande idée précise de ce que vous voulez faire... une formation généraliste et classique comme une école d'ingénieur ou un Master en gestion vous permettront ensuite d'avoir un large éventail d'opportunités professionnelles... au fur et à mesure de vos études vous pourrez vous spécialiser et choisir un métier.

8. Ecoutez les autres mais c'est à vous de choisir

Vous devez aller vers les autres pour récolter de l'information et poser vos questions. Conseillers d'orientation, anciens élèves, professeurs, parents, professionnels, amis. Tout le monde aura son avis et son idée et toutes ces discussions seront très riches et intenses. Mais finalement, c'est à vous de réfléchir, mûrir et décider !

9. Analysez le marché de l'emploi

Renseignez-vous sur les secteurs qui embauchent, les nouveaux secteurs en expansion... recherchez sur les moteurs de job, le nom des formations ou de métiers que vous ciblez pour évaluer les postes proposés et les niveaux de salaires proposés. Il est très important de ne pas s'engager dans une voie professionnelle sans avenir ou extrêmement bouchée.

10. Définissez votre parcours à 1, 2 et 5 ans

Maintenant, il faut passer à l'action et définir un plan d'action à court et moyen terme. Qu'allez-vous faire dans un an, deux ans, et cinq ans. On peut rater une année, quelques années d'études, revenir en arrière, mais il ne faut pas passer à côté du job ou du projet de ses rêves... et celui-ci ne vient pas tout seul dans vos bras : à vous de jouer et de prendre en main cette réflexion essentielle !

Now, identify the one piece of advice that is not given for each of the 10 sections

Q94: Règles d'or pour toute réflexion : aucune idée est mauvaise ou stupide ; oubliez tout votre passé, votre formation initiale, les vieux réflexes de pensée, la pression parentale ou sociale de vos amis. Vous devez d'abord penser à vous et à votre vie. Pensez donc large sans contrainte de temps, d'argent et sans contrainte géographique à l'idéal qu'avez-vous envie de faire dans la vie ? Mettez de côté la question de l'argent ; un prêt étudiant, une bourse c'est facile à trouver si vous êtes motivé par votre projet.

a) No idea is bad or stupid.
b) Forget parental and peer pressure.
c) Don't worry about money.
d) Consider your prior training and experience.

....

Q95: Il est important de connaître ses limites et d'être réaliste dans la réalisation de ses projets mais il est aussi très important de rêver et d'avoir de l'ambition. Parfois par manque d'assurance nous ne voyons pas en grand nos projets et c'est dommage de ne pas aller plus loin. Alors, visez haut ! Une fois votre voie trouvée vous pourriez être surpris de vos capacités et de votre volonté. Si vous êtes motivé vous y arriverez !

a) Don't allow yourself to dream.
b) If you are motivated, you will succeed.
c) It's a shame not to push yourself further.
d) Once you've found the right career, you'll be surprised by your strengths and motivation.

....

Q96: Réalisez un bilan de personnalité pour vous permettre de mieux vous connaître et identifier des pistes de réflexion peut-être pas encore envisagées. Certains tests vous donnent aussi concrètement des métiers adaptés à votre personnalité. Généralement un bilan de personnalité ne va pas vous apprendre de grandes choses nouvelles sur vous... mais plutôt vous confirmer des idées et vous faire prendre conscience de traits de personnalité importants qui ensuite vous guideront dans le choix de métiers puis de formation.

a) Do a personality test.
b) Use the awareness gained from the test to guide you in your choice of career and training.
c) Ask a family member or friend to analyse your personality.
d) It's unlikely that you'll learn anything completely new.

....

Q97: Il est très dur, à 17 ou 24 ans, de savoir précisément quel job sera le job de votre vie. Il faut d'abord définir des secteurs ou domaines d'activité (au moins trois ; ne vous arrêtez pas au premier domaine) que vous aimez. Puis, vous aurez le temps d'affiner votre réflexion pour ensuite cibler un job en particulier.

a) From the start, focus on the job that interests you most.

b) Take time to establish the areas of work that interest you; you can refine your search later.
c) Identify at least three employment areas that interest you.
d) It's too difficult at a young age to define what your life's vocation will be.

....

Q98: "Je déteste les chiffres", "le travail d'équipe m'énerve", "devoir négocier me stresse", "c'est trop abstrait comme métier"... Il est intéressant d'énumérer les métiers, missions, secteurs que vous n'aimez pas. Cette réflexion à l'inverse peut vous permettre de retirer des options ou prendre conscience d'envies. C'est bizarre mais ça peut aider !

a) Writing a list of things you don't like can help.
b) Persevere with ideas, even if you don't like them.
c) Examples of things you might dislike are; numbers and team work.
d) Writing a list of dislikes can raise your awareness of the things you do like.

....

Q99: Êtes-vous prêt à faire des études de 5 ans ? Plutôt en alternance ou en voie traditionnelle ? Encadré à l'école ou indépendant à la fac ? Êtes-vous pressé d'arriver sur le marché de l'emploi ou non ? Il est important de connaître vos envies/capacités pour mieux choisir la formation adaptée à vos envies.

Questions you should ask yourself are:

a) Are you prepared to study for 5 years?
b) Are you in a hurry to be on the jobs market?
c) How would you survive financially?
d) Would you prefer to be within a school framework or to have a more independent, university style education?

....

Q100: Renseignez-vous sur les formations adaptées aux secteurs et métiers envisagés dans les contraintes de vos envies de type de formation. Il est important de noter que si vous n'avez pas une grande idée précise de ce que vous voulez faire... une formation généraliste et classique comme une école d'ingénieur ou un Master en gestion vous permettront ensuite d'avoir un large éventail d'opportunités professionnelles... au fur et à mesure de vos études vous pourrez vous spécialiser et choisir un métier.

a) If you're not sure of which job you'd like to do, pursue a more general education.
b) Examples of general studies would be engineering or management.
c) Choose 5 alternative training possibilities within your field.
d) Whilst doing a more general course, you can specialise gradually.

....

Q101: Vous devez aller vers les autres pour récolter de l'information et poser vos questions : conseillers d'orientation, anciens élèves, professeurs, parents, professionnels, amis. Tout le monde aura son avis et son idée et toutes ces discussions seront très riches et intenses. Mais finalement, c'est à vous de réfléchir, mûrir et décider !

a) You shouldn't ask others for careers advice.
b) It's good to ask others for careers advice.
c) At the end of the day, it should be your decision.
d) Careers advisers, former pupils and teachers are good sources of careers advice.

....

Q102: Renseignez-vous sur les secteurs qui embauchent, les nouveaux secteurs en expansion... recherchez sur les moteurs de job, le nom des formations ou de métiers que vous ciblez pour évaluer les postes proposés et les niveaux de salaires proposés. Il est très important de ne pas s'engager dans une voie professionnelle sans avenir ou extrêmement bouchée.

a) Don't become too specialised in training for a career where there are too few jobs.
b) Be informed about expanding job markets.
c) Concentrate on doing well in your studies.
d) Use job search engines to evaluate the careers you are targeting.

....

Q103: Maintenant, il faut passer à l'action et définir un plan d'action à court et moyen terme. Qu'allez-vous faire dans un an, deux ans, et cinq ans. On peut rater une année, quelques années d'études, revenir en arrière, mais il ne faut pas passer à côté du job ou du projet de ses rêves... et celui-ci ne vient pas tout seul dans vos bras : à vous de jouer et de prendre en main cette réflexion essentielle !

a) Once you fail a year of study, it's hard to get back on track.
b) Don't miss out on the job of your dreams.
c) Think about your short and mid-term goals.
d) You have to work towards finding your dream job.

....

1.15 Vocabulary: Conseils d'orientation

To listen to these, you will need the following sound files:
hg-cfrh3-1-9vocab.mp3 (1-24)

règles d'or	golden rules
réflexion	reflection/thought
pression	pressure
contrainte	constraint
prêt étudiant	student loan
bourse	grant
visez	aim
rêver	to dream
manque d'assurance	lack of confidence
dommage	shame
capacités	abilities
volonté	willingness
bilan	check up
cibler	to target
contre envies	dislikes
chiffres	figures/numbers
travail d'équipe	team work
(formation) en alternance	sandwich course (training)
encadré	restricted
à la fac	at university
gestion	management
au fur et à mesure	slowly but surely
récolter	to collect
bouchée	blocked up

1.16 Equal opportunities at work: L'égalité des chances sur le lieu de travail

In this section, you are going to explore different points of view about the situation for women in the French workplace.

Reading comprehension: L'égalité des chances sur le lieu de travail

Go online

Read this article about sexist behaviour in the French workplace. There are two sections and true/false questions attached to each section.

Section 1: Résultats d'un sondage

Selon un sondage publié en décembre 2013, le sexisme est très commun sur le lieu de travail en France. Ceci, malgré le fait que l'égalité soit un principe important de la république française.

80 % des femmes et 56 % des hommes disent qu'ils ont été témoins de sexisme où ils travaillent, selon ce reportage. La moitié des femmes qui ont répondu au sondage ont été victimes de sexisme.

Le sondage donné à un total de 15 000 employés sur une période de deux mois dans neuf grandes compagnies françaises dont la SNCF, Orange, Air France, a été présenté par le Conseil suprême pour l'égalité professionnelle au ministre des droits de la femme, Najat Vallaud-Belkacem.

Ces résultats inquiétants n'étaient pas une surprise pour Marie-Noëlle Bas, présidente de Chiennes de Garde, une des organisations les plus importantes en France pour les droits de l'Egalité. Elle dit qu'ils donnent une image précise du problème du sexisme en France aujourd'hui.

La grande majorité des femmes sont victimes de sexisme au travail... si elles ne sont pas harcelées sexuellement. Bien sûr, ce sont deux choses très différentes mais elles sont toutes les deux, des thèmes très importants en France.

Une des façons principales d'être victime du sexisme est à travers le langage et il y a toujours beaucoup d'expressions dérogatoires que les femmes sont obligées d'entendre au quotidien, par exemple ;

- "Elle est pire qu'un homme", 82% des femmes disent qu'elles ont entendu cette expression au sujet d'une chef.
- "C'est quoi cette Barbie?"
- "C'est une réunion Tupperware."
- "Laisse tomber, elle doit avoir ses règles."
- "Elle ne sait pas faire grand-chose à part se vernir les ongles."
- "Ma cocotte", "Ma puce" and "Ma poulette" - tous des termes dérogatoires.

De toutes les femmes questionnées, plus que la moitié a dit que le fait d'être une femme a retenu leurs carrières. En plus, 36 % ont dit que cela leur a empêché de recevoir une augmentation de salaire et 35% ont dit que cela leur avait bloqué les chances d'avoir une promotion.

La moitié des femmes avaient l'impression qu'elles étaient traitées différemment au travail que les hommes. Ça pourrait être ; devoir faire les tâches moins importantes ou de voir leurs compétences dévaluées.

La majorité, 90%, ont dit qu'elles trouvent que la vie est plus facile pour les hommes au travail. La plupart des hommes étaient d'accord. Bas a quand même dit qu'il n'y a pas d'évidences à suggérer que le sexisme soit accepté automatiquement comme norme.

Bas dit que la vie politique en France montre en exemple le plus haut profil de sexisme sur lieu de travail. Les femmes en politique sont constamment cibles de réflexions au sujet de leurs cheveux, leur façon de s'habiller, ou bien qui va garder leurs enfants. Elles sont définies; soit mère soit séductrice.

Un exemple classique ; en 2006 lorsque Ségolène Royal était en campagne présidentielle, Laurent Fabius lui a demandé qui garderait ses enfants. Plus récemment, la Ministre Ceciel Duflot était sifflé au parlement car elle portait une robe fleurie. En octobre, Véronique Massoneau devait subir des 'gloussements' quand elle présentait un changement au parlement.

Selon Bas, une des raisons les plus fortes pour le sexisme actuel est le manque de femmes dans les conseils de direction d'entreprises. Il y a un plafond dans l'échelle hiérarchique au-dessus duquel les femmes ne semblent pouvoir s'élever, et en général, le sexisme vient du chef envers un employé.

Q104: Sexist behaviour is very common in the French workplace.

a) True
b) False

....

Q105: 80% of French women have been victims of sexist behaviour.

a) True
b) False

....

Q106: Najat Vallaud-Belkacem is the French minister for Women's Rights.

a) True
b) False

....

Q107: Marie-Noëlle Bas thinks that the survey's results present an exaggerated picture of the situation.

a) True
b) False

....

Q108: Chiennes de Garde is a French Equal Rights organisation.

a) True
b) False

....

Q109: Only a minority of women experience sexist behaviour in the work place.

a) True
b) False

....

Q110: One of the most common ways of being subjected to sexist behaviour is through derogatory language.

a) True
b) False

....

Q111: More than half of the French women questioned feel that being a woman has limited pay-rises and promotions.

a) True
b) False

....

Q112: Most of the French people questioned think that it's easier to be a man in the work place.

a) True
b) False

....

Q113: According to Bas, sexist behaviour in French politics has improved recently.

a) True
b) False

....

Q114: Many comments about women concern their appearance and child care arrangements.

a) True
b) False

....

Q115: There have been more women going into managerial positions recently.

a) True
b) False

....

Q116: The 'glass ceiling' is a thing of the past.

a) True
b) False

....

Section 2 : Comment est-ce que l'on devrait réagir au sexisme ?

Il faut toujours réagir mais pas d'une façon agressive, Bas prévient. Il faut sourire pour montrer un sens de l'humour mais il faut toujours leur dire d'arrêter. Pourtant, si quelqu'un vous insulte ou vous harcèle de façon sexuelle, vous avez le droit de porter plainte.

Elle recommande utiliser le langage du corps pour affirmer votre autorité. "Plus vous êtes confiantes, plus les autres vous remarqueront et vous aurez plus de chances d'avoir une promotion ou une augmentation de salaire.

Il faut toujours être positif au sujet de votre travail et de votre compagnie ; il ne faut pas jouer les victimes. En même temps, n'ayez pas peur d'établir des limites. Oui, c'est bien d'offrir ses services, mais pouvoir dire 'non' montre que vous êtes forte et vous avez le contrôle.

Q117: Regarding sexist behaviour, the advice given by Bas to women is to ignore it.

a) True
b) False

....

Q118: It is good to have a sense of humour when dealing with sexist behaviour.

a) True
b) False

....

Q119: You should not hesitate to complain if you have been insulted or harassed.

a) True
b) False

....

Q120: Bas advises the use of body language.

a) True
b) False

....

Q121: Women should offer to take on as many projects as they can in the workplace.

a) True
b) False

....

Q122: Remaining positive about the company is recommended.

a) True
b) False

....

Q123: To be able to say 'no' to work proposals is a good thing.

a) True
b) False

....

....

1.17 Vocabulary: L'égalité des chances

To listen to these, you will need the following sound files:
hg-cfrh3-1-10vocab.mp3 (1-24)

sondage	survey
sexisme	sexist behaviour
égalité	equality
témoins	witnesses
droits de la femme	women's rights
harcelées sexuellement	sexually harassed
dérogatoires	derogatory
au quotidien	on a daily basis
laisse tomber	leave it/drop it
règles	periods
vernir les ongles	to paint nails
retenu	held back
augmentation de salaire	pay rise
cibles	targets
garder	to look after
sifflé	wolf-whistled
fleurie	floral
'gloussements'	clucking noises
conseils de direction	management
le plafond de verre	glass ceiling
sourire	to smile
porter plainte	to make a complaint
langage du corps	body language
jouer les victimes	to play the victim

1.18 Listening: Elizabeth Hartley

Listen to the following radio documentary about one woman's experience of working in Paris. It includes some background information, followed by an interview with her. Answer the multiple choice questions that follow.

Listening comprehension: Elizabeth Hartley

Go online

To complete this exercise, you will need the following sound file:
hg-cfrh3-1-11listening.mp3

Q124: Elizabeth will receive an award for her:

a) services to teaching and lecturing.
b) scientific research.
c) cultural studies.

....

Q125: Elizabeth is:

a) English.
b) French.
c) Irish.

....

Q126: Elizabeth went to Cambridge for her:

a) university studies.
b) work permit.
c) important conference.

....

Q127: Elizabeth was attracted to France because of its:

a) technology.
b) art.
c) language.

....

Q128: Elizabeth has worked in France for:

a) 20 years.
b) 30 years.
c) 40 years.

....

Q129: Elizabeth also considered working in:

a) Ireland.
b) the United States.
c) the Netherlands.

....

Q130: Elizabeth thinks that knowledge of the French language is:

a) not important because English is spoken in the laboratories.
b) important for living in Paris, generally.
c) very easy to acquire when you live in the country.

....

Q131: To become fluent in French, it took Elizabeth:

a) 2 months.
b) 2 years.
c) 12 years.

....

Q132: At the Pasteur Institute:

a) the teaching is excellent.
b) researchers are expected to work independently.
c) people are so busy working, that the atmosphere is unwelcoming.

....

Q133: The Pasteur Institute:

a) is a very popular destination of postgraduate study, worldwide.
b) is not as well-known as the Curie Institute.
c) is often in the news for its scientific advances.

....

Q134: According to Elizabeth, an advantage of living in France is that:

a) the best schools and universities are free of charge.
b) the universities are not selective.
c) the universities are well-organised.

....

Q135: Elizabeth is grateful that the Pasteur Institute gave her:

a) freedom.
b) good advice.
c) a grant.

....

Q136: Elizabeth thinks that France:

a) prefers women to stay at home.
b) encourages professional women.
c) treats women unfairly in the academic environment.

....

Q137: Elizabeth thinks that things have been made easier for working women in France as a result of:

a) forward thinking politicians.
b) better options for girls at school.
c) the availability of nursery facilities.

....

Q138: Elizabeth's outlook on equality for women in the French work place is:

a) positive.
b) negative.
c) mixed.

....

1.19 Context summary: Writing and Talking practice

You should now note your responses to the following questions to ensure that you will have plenty of material on this theme for the final exam's Talking presentation/conversation and Writing questions. Use the glossaries and the phrases that you have learned over the course of this unit to help you. You should also look back over all of the grammar and language points, so that your answers are as developed and accurate as possible.

Writing and Talking practice

- **Est-ce que tu as déjà travaillé en été ?**
  Have you ever worked in the summer?
- **Est-ce que tu aimerais trouver un travail d'été ?**
  Would you like to find a summer job?
- **Quelle sorte de travail est-ce que tu chercherais ? Pourquoi ?**
  What sort of work would you look for? Why?
- **Où est-ce que tu irais pour chercher les postes ?**
  Where would you go to look for job vacancies?
- **Est-ce que tu as envie de voyager ? Pourquoi ?**
  Do you want to travel? Why?
- **Est-ce que tu aimerais prendre une année sabbatique ? Qu'est-ce que tu aimerais faire ?**
  Would you like to take a gap year? What would you like to do?
- **Quels sont les avantages de prendre une année sabbatique ?**
  What are the advantages of taking a gap year?
- **Qu'est-ce que tu fais pour bien te renseigner au sujet des possibilités pour ton avenir, en ce qui concerne les emplois et les études ?**
  What do you do to keep yourself well-informed about your future employment and study opportunities?
- **Est-ce que tu as déjà été témoin d'une situation où il y a un manque d'égalité sur le lieu de travail ?**
  Have you ever witnessed a situation where there is a lack of equality in the work place?
- **Est-ce que tu crois qu'il y a des possibilités différentes pour les femmes et les hommes sur le lieu de travail ? Donne des raisons.**
  Do you think that there are different opportunities for women and men in the workplace? Give reasons.

....

1.20 Learning points

Summary

You should now feel confident to tackle a variety of Reading and Listening texts within the theme of jobs on the following topics set out in the Learning Objectives:

- getting a summer job;
- planning for future jobs/higher education;
- gap year;
- career path;
- equality in the workplace.

You should now also be able to understand and use:

- modal verbs;
- pluperfect;
- the pronoun 'en'.

Topic 2

Work and CVs

Contents

Learning objectives

Within this theme, you will explore issues associated with work and CVs, such as:

- *preparing for a job interview;*
- *the importance of language in global contexts;*
- *job opportunities.*

With the study of each of the French Higher course's Contexts, you will practise and improve your Listening and Reading comprehension skills. A number of language points, both grammar and vocabulary building, will be covered throughout the course. You will need to review and apply these in order to develop your Writing and Talking skills. Translation practice opportunities will also be provided. Tips will be given for your development in all of these areas.

2.1 Job interviews: Les entretiens d'embauche

This is an article about how to get the best from job interviews. Read it section by section, completing the different activities as you go.

étape	stage
but	goal
compétences	skills
forces	strengths
preuve	proof

Reading comprehension: Job interviews - introduction

Go online

L'entretien d'embauche est la dernière étape du processus de candidature. Son but est de vous permettre de montrer vos compétences et vos forces d'une façon qui fait preuve que vous serez capable de faire le travail. Il faut avoir une attitude positive quant à vous-même et à vos expériences. À force de pratique, on y arrive !

Q1: Which five of the following statements are made in the text?

a) At the interview, you need to show your strengths and skills.
b) The interview is the most important step in the application process.
c) It is unlikely that you will be successful at your first interview.
d) It is important to be honest.
e) You must be positive about the company.
f) The interview is the last stage of the interview process.
g) Practice makes perfect.
h) You must be positive about yourself.
i) The interview is the hardest part of the application process.
j) You need to prove that you will be able to do the job.

. . . .

2.2 Types and styles of interview: Genres et styles d'entretien

gamme	range
genres	types
tête-à-tête	one to one
fournit	provide
requises	required

Go online

Reading comprehension: Job interviews - section 2

Il y a une gamme de genres et styles d'entretiens. Les plus fréquents sont :

Genres

- Traditionnel en tête-à-tête : un candidat et un intervieweur;
- Un candidat devant un panel d'intervieweurs;
- Un entretien en groupe où plusieurs candidats sont ensemble pour l'entretien;
- Un entretien au téléphone.

Styles

- La procédure habituelle : Le candidat doit répondre à une série de questions.
- Présentation : On fournit le candidat avec un thème à préparer en avance et il doit le présenter à l'entretien.
- Questions basées sur les compétences : Le candidat doit répondre aux questions liées aux compétences requises pour le poste.

Q2: Put the following English translations into the correct order, according to where they appear in the text.

a) Skills-based questions
b) One to one interview
c) Presentation to prepare in advance
d) Interview panel
e) Telephone interview
f) Group interview with several candidates
g) Normal questions

....

2.3 How to prepare for an interview: Comment se préparer pour un entretien

se débrouiller	to cope
le trac	nerves
fiche de candidature	application form
lieu	location/place
ne soyez pas	don't be

Reading comprehension: Job interviews - section 3

Go online

Avant d'aller à l'entretien, il est important de bien se préparer. Il faut, par exemple, faire des recherches sur l'employeur. Utilisez leur site web et si possible, parlez avec ceux qui travaillent déjà pour l'organisation. Ensuite, faites correspondre vos compétences avec la description du travail.

Quelques sites web offrent des activités interactives qui vous aideront à savoir quoi vous attendre. Au début, les entretiens peuvent faire peur, surtout si on n'a pas beaucoup d'expérience. Il est utile donc, de voir des exemples de questions et de réponses éventuelles.

Il y a une variété de questions qui vous aideront à devenir plus confiant et à développer la bonne technique. C'est une bonne idée aussi de lire les conseils sur comment se débrouiller avec le trac, et les erreurs à éviter.

Avant de partir pour l'entretien, vérifiez les détails que vous avez écrits sur votre CV ou votre fiche de candidature. Vérifiez le lieu de l'entretien et planifiez comment vous allez y voyager. Ne soyez pas en retard ! Habillez-vous de manière appropriée.

Q3: Put the following English translations into the correct order, according to where they appear in the text.

a) Check the interview's location and plan how you're going to get there.
b) Speak to people who already work there.
c) Check over the details on your CV & application form.
d) Do research about the employer.
e) Match up your skills with the job description.
f) Dress appropriately.
g) Read the advice about how to deal with nerves and mistakes to avoid.
h) Don't be late.

....

2.4 What to take to the interview: Quoi apporter à l'entretien

Go online

Translation: Job interviews - section 4

- La lettre qui vous invite à l'entretien/la carte d'entretien.
- Vos résultats d'examens.
- Votre curriculum vitae.
- La liste de questions que vous voulez poser.
- Toute autre chose qu'on vous a demandé d'apporter ; par exemple, les certificats d'examens.

Q4: Translate section 4 which explains what you should take along to an interview.

....

2.5 During the interview: Pendant l'entretien

serrez la main à	shake hands with
mâchez	chew
(être) voûté	to be slouched
mentez	lie (not tell the truth)
soulignez	highlight

Go online

Translation: Job interview - section 5

N'oubliez pas; les premières impressions comptent. Regardez l'intervieweur dans les yeux et avant de vous asseoir, présentez-vous et serrez la main à l'intervieweur. Le langage du corps est important. Soyez intéressé et enthousiaste. Répondez clairement aux questions. Ne fumez pas, ne mâchez pas, ne soyez pas voûté. Soyez honnête : ne mentez jamais. Écoutez bien et attendez que l'intervieweur soit fini, avant de répondre. Demandez des questions : prenez l'occasion de clarifier les choses, si elles ne sont pas claires. Soulignez vos compétences : utilisez des exemples qui vous permettent de vous distinguer des autres candidats.

Q5: Translate these phrases.

French phrases	English translation
s'asseoir tout de suite	
poser des questions	
fumer	
être conscient de son langage du corps	
être intéressé et enthousiaste	
écoutez bien	
mentir	
utiliser des exemples	
souligner ses compétences	
mâcher	
être honnête	
répondre clairement	
être voûté	
regarder l'intervieweur dans les yeux	

. . . .

2.6 After the interview: Après l'entretien

Reading comprehension: Job interview - section 6

Go online

Si l'on vous offre le poste ; félicitations. Si vous ne réussissez pas, demandez à l'employeur son avis sur votre performance afin de pouvoir tirer des leçons de l'expérience. Ecrivez les questions que l'on vous a demandées et discutez de vos réponses avec quelqu'un. Si vous n'avez pas reçu le résultat de l'entretien dans une semaine, contactez l'entreprise pour voir si le poste a été pris. Si vous n'avez pas réussi cette fois, essayez de réfléchir pourquoi. Auriez-vous pu dire plus au sujet de vos compétences et vos expériences ? Étiez-vous suffisamment bien préparé ? N'abandonnez pas ! Pensez à d'autres choses à faire comme le travail bénévole ou les passe-temps qui pourraient vous aider à chercher du travail à l'avenir. Ecrivez des questions difficiles que l'on vous a demandées. Comment est-ce que vous répondriez à l'avenir ?

Q6:

Section 6 tells you about what should be done after an interview. Fill in the gaps of the following English sentences, according to the advice given in the text. Use the following words:

write down	result
voluntary work	feedback
congratulations	answer
successful	respond

a) If you are offered the position, ...
b) Ask the employer for . . . .
c) . . . . the questions that you were asked.
d) Discuss your . . . . with someone.
e) Contact the company if you have not heard the . . . . after a week.
f) If you have not been . . . ., try to think of reasons why.
g) Think of other things to do, like . . . .
h) How would you . . . . in future?

. . . .

2.7 Questions at the interview: Les questions à l'entretien

formation	training
diplômes	qualifications
qualifications professionnelles	professional qualifications
faiblesses	weaknesses
fiable	loyal/reliable
fier	proud
gérée	managed/led

Go online

Translation: Job interview - section 7

Entraînez-vous en écrivant vos réponses aux questions suivantes, qui sont très courantes. Demandez à quelqu'un de votre famille, un prof ou à un conseiller d'orientation pour de l'aide, si nécessaire. Préparez vos réponses, toujours en vous rappelant des compétences requises pour le travail. Pourquoi ne pas pratiquer vos réponses à haute voix avec un ami ou tout seul ? N'oubliez pas ; donnez des exemples ; donnez des réponses complètes et soyez positif !

Q7: Translate this section which is all about how to prepare for answering interview questions.

. . . .

Reading comprehension: Job interview - section 7

Go online

Match up these common interview questions with the correct English translations.

Q8:

1. Quelles sont vos matières préférées au collège/lycée ?	a. What do you do in your spare time?
2. Combien d'expérience professionnelle avez-vous ?	b. Do you have any weaknesses?
3. Que faites-vous pendant votre temps libre ?	c. What are your favourite school subjects?
4. Pourquoi est-ce que vous voulez ce travail ?	d. How much work experience do you have?
5. Est-ce que vous avez des faiblesses ?	e. Why do you want this job?

....

Q9:

1. Pourquoi est-ce que vous voulez quitter votre travail actuel ?	a) How would a friend describe you?
2. Comment est-ce qu'un ami vous décrirait ?	b) How do you cope with pressure?
3. Où est-ce que vous vous voyez en cinq ans ?	c) Why do you want to leave your current position?
4. Quel est le problème le plus gros que vous avez dû surmonter ?	d) Where do you see yourself in five years' time?
5. Comment est-ce que vous réagissez à la pression ?	e) What's the biggest problem that you've had to overcome?

....

Related vocabulary

A. Par exemple ; vous aimez travailler avec des gens, il y aura des occasions pour suivre la formation professionnelle, obtenir plus de diplômes/de qualifications professionnelles et de l'expérience.

B. Mentionnez seulement les faiblesses qui ne sont pas liées avec ce travail.

C. Pensez à votre travail à temps partiel, votre expérience professionnelle au lycée, vos stages et le travail bénévole que vous avez fait. Expliquez pourquoi ils pourraient être utiles pour ce travail.

D. Parlez de vos loisirs ; clubs des jeunes, sports, d'autres intérêts.

E. Pensez à pourquoi vous aimez certaines matières. Expliquez pourquoi vos compétences et diplômes seraient importants pour le travail.

F. Pensez aux matières scolaires, votre expérience professionnelle et vos intérêts. En plus ; quelle sorte de personne êtes-vous ? Faites une liste de vos qualités.
Par exemple ; vous êtes patient, fiable, vous vous entendez bien avec les autres, vous n'abandonnez pas facilement.

G. Quelques employeurs vous demanderont de donner un exemple de quelque chose que vous avez fait dont vous vous sentez fier.

H. D'autres vous demanderont peut être de penser à une situation difficile que vous avez bien gérée.

....

2.8 Do you have any questions?: Avez-vous des questions ?

Go online

Reading comprehension: Job interview - section 8

La plupart des employeurs vous donneront l'occasion de poser des questions. Poser des questions montre que vous êtes intéressé par le travail, mais ne demandez pas quelque chose qui a déjà été expliqué pendant l'entretien. Ne demandez pas, non plus, au sujet du salaire ni des vacances. Vous pouvez discuter de choses quand l'on vous offre le travail.

Q10: Section 8 deals with questions that you may wish to ask the employer at interview. Which of the following pieces of advice are **not** given?

a) Don't ask too many questions.
b) Asking questions shows that you are interested.
c) Don't ask about holidays.
d) Don't ask about colleagues.
e) Don't ask about something that has already been explained.
f) It's better to ask certain questions once you've been offered the position.
g) Most employers give you the chance to ask questions.
h) It's important to clarify details about salary at the interview.

....

Go online

Vocabulary: Job interview - section 8

Q11: Match up the examples of questions you may want to ask at interview with the correct English.

1. Avec qui est-ce que je travaillerais ?	a. What are the working hours?
2. Quelles sont les possibilités de formation avec ce travail ?	b. With whom would I be working?
3. Qui serait mon responsable ?	c. When will I get the results of this interview?
4. Quand est ce que j'aurai les résultats de cet entretien ?	d. What are the training opportunities?
5. Quelles sont les heures de travail ?	e. Who will my manager be?

....

2.9 The importance of languages: L'importance des langues

investissement	investment
réseaux	networks
faciliteront	will facilitate
Moyen-Orient	Middle East
croissantes	growing
siècle	century

Now read the following short text which highlights some benefits of language learning.

Reading comprehension: Importance of languages

Go online

Allez plus loin avec les langues !

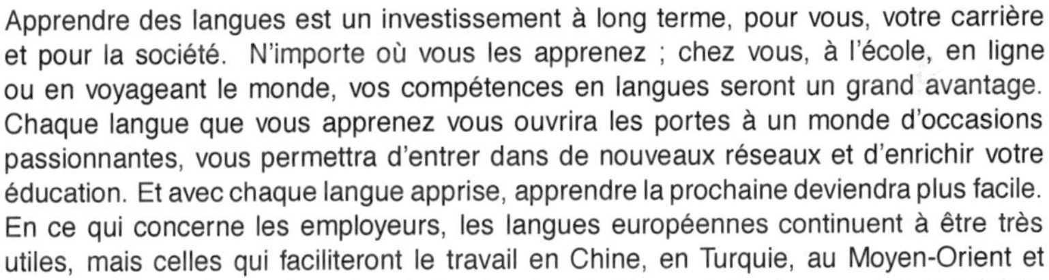

Apprendre des langues est un investissement à long terme, pour vous, votre carrière et pour la société. N'importe où vous les apprenez ; chez vous, à l'école, en ligne ou en voyageant le monde, vos compétences en langues seront un grand avantage. Chaque langue que vous apprenez vous ouvrira les portes à un monde d'occasions passionnantes, vous permettra d'entrer dans de nouveaux réseaux et d'enrichir votre éducation. Et avec chaque langue apprise, apprendre la prochaine deviendra plus facile. En ce qui concerne les employeurs, les langues européennes continuent à être très utiles, mais celles qui faciliteront le travail en Chine, en Turquie, au Moyen-Orient et d'autres économies croissantes deviendront probablement de plus en plus populaires au cours de ce siècle.

Q12: Here is a list of ten advantages of language learning. Match up the French with the corresponding English.

1. On a plus accès aux possibilités d'exportation.	a) Building relationships across borders.
2. On peut établir des rapports de l'autre côté des frontières.	b) Access to new information sources.
3. On développe un meilleur sens critique et une meilleure approche à la résolution de problèmes.	c) Global outlook and intercultural competence.
4. On développe la capacité de communiquer clairement et avec confiance.	d) Well-rounded education.
5. On arrive à mieux communiquer avec les groupes difficiles à atteindre.	e) Better understanding of languages, including your own.
6. On développe des perspectives mondiales et de la compétence interculturelle.	f) Deeper understanding of foreign environments and practices.
7. On comprend mieux les langues y compris sa propre langue.	g) Clear and confident communication skills.
8. On peut accéder à de nouvelles sources de renseignements.	h) Access to export opportunities.
9. On a une compréhension plus profonde des environnements et pratiques étrangères.	i) Critical thinking and problem solving.
10. On a une éducation mieux équilibrée.	j) Communication with hard to reach groups.

....

2.10 Languages and work: Les langues et le travail

You are now going to read about several people who have achieved success in a wide range of employment sectors. Each person shows how invaluable languages have been to their careers and how both linguistic and cultural awareness have enhanced their lives generally. The following texts are divided into seven employment sectors in total. There are activities attached to each sector.

à l'étranger	abroad
dès	from
outil	tool
puissant	powerful
navigatrice	yachtswoman
fondatrice	founder
association caritative	charity organisation
chantier naval	boatyard
couramment	fluently
marins	sailors
chaleur	warmth

Reading comprehension: La culture et le sport

Go online

Arsène Wenger, Entraîneur, club de football Arsenal

Quand on est à l'étranger, il faut apprendre la culture et comment communiquer dès le début. Apprendre la langue vous permet de mieux connaître les gens.

Rose Fenton, Directrice, Free Word

Le langage est un outil puissant pour l'action et l'imagination. Avec des langues différentes, on peut se promener dans d'autres mondes ; cela nous donne le courage d'essayer de nouvelles choses. Les langues m'ont ouvert des portes internationales et m'ont permis d'être ambassadrice culturelle pour le Royaume-Uni et l'Europe dans le cadre des festivals internationaux.

Larry Lamb, Acteur

En quittant l'école, j'avais des bases en français et en allemand et cela m'a donné l'envie de voyager. Pendant un séjour où je travaillais en Allemagne, je faisais un peu de théâtre amateur. Puis, j'ai commencé à travailler dans le secteur de la télévision et du film partout en Europe. Là, j'ai appris suffisamment d'espagnol et d'italien. Mon français m'a bien aidé avec ça. Sans langues, ma vie aurait été complètement différente. Mon conseil : apprenez autant de langues que possible. Vous serez bien meilleur !

Dame Ellen MacArthur, Navigatrice et Fondatrice d'une association caritative

J'ai passé trois mois sur un chantier naval français avant ma première course transatlantique et là, j'ai appris à parler couramment le français. Je n'aurais pas pu faire les concours sans la connaissance du français. Je n'aurais pas pu m'intégrer avec les marins et je n'aurais pas réussi autant avec mon sponsoring. Les langues m'ont ouvert la chaleur d'une culture ; les Français se sont vraiment bien occupés de moi. Actuellement, je travaille avec le gouvernement français avec mon travail caritatif en Libye. Souvent, en réunion, je fais mes présentations en français.

Q13: Who works in the domain of international festivals?

a) Arsène
b) Rose
c) Larry
d) Ellen

....

Q14: Who learnt Spanish and Italian whilst working in Europe?

a) Arsène
b) Rose
c) Larry
d) Ellen

....

Q15: Who works with the French government?

a) Arsène
b) Rose
c) Larry
d) Ellen

....

Q16: Who left school with basic French and German?

a) Arsène
b) Rose
c) Larry
d) Ellen

....

Q17: Who says that languages give us the courage to try new things?

a) Arsène
b) Rose
c) Larry
d) Ellen

....

Q18: Who believes that when abroad you need to make an effort to communicate straight away?

a) Arsène
b) Rose
c) Larry
d) Ellen

....

Q19: Who says that languages opened up the warmth of a culture?

a) Arsène
b) Rose
c) Larry
d) Ellen

....

2.11 Media: Les médias

rédactrice	editor
personnalité	broadcaster
blagues	jokes
haute société	upper class
intrépides	bold

Reading comprehension: Les médias

Go online

Isabel Hilton OBE, Fondatrice et Rédactrice, chinadialogue.net

Quand j'ai commencé ce métier, il était difficile d'être assigné aux histoires internationales. Mais, mes langues m'ont permis de faire mon premier grand article de journal (sur la Chine). Puis, j'étais envoyée à faire des reportages sur la Guerre aux îles Falkland. A mon avis, pouvoir écouter des conversations, établir des rapports directs, faire des blagues et parler avec les gens de tous les secteurs de la société (non seulement de la haute société, qui parle anglais) est très important.

Rosie Goldsmith, Personnalité de la radio BBC

Pour le travail et les loisirs, les langues sont fondamentales à mon plaisir. En vingt ans avec la BBC, j'ai voyagé le monde, par exemple au Japon, en Libye et j'ai fait des reportages sur la chute du mur de Berlin et la fin de l'apartheid. Aujourd'hui, on me sollicite aux festivals culturels et aux autres évènements au Royaume-Uni et à l'étranger. Voyez les langues comme créatives, une ouverture de l'esprit et elles améliorent la vie. Oui, il faut travailler dur, mais évadez-vous et soyez intrépides ! Les langues stimulent l'intelligence et le commerce !

Q20: Who says that languages boost your brain power?

a) Isabel
b) Rosie

....

Q21: Who says that being able to make jokes in the language is important?

a) Isabel
b) Rosie

....

Q22: Who says that it's important to be able to speak with all sections of society?

a) Isabel
b) Rosie

....

Q23: Who says that learning a language is hard work?

a) Isabel
b) Rosie

....

Q24: Who encourages us to break out and to be bold?

a) Isabel
b) Rosie

....

Q25: Who says that, at first, it was difficult to be assigned international stories?

a) Isabel
b) Rosie

....

2.12 Business: Le commerce

marchandises	merchandise
gênantes	embarrasing
inestimable	invaluable
PDG (Président Directeur Général)	CEO (Chief Executive Officer)
caissier	cashier
élargir ses horizons	broaden one's horizons
filiale	subsidiary (firm)
croître	grow
sous-directeur	deputy director
connaissance	knowledge
sensibilité	sensitivity

Go online

Reading comprehension: Le commerce

Neela Mukherjee, Directrice générale des marchandises au Royaume-Uni, Tesco

Parler des langues m'a permis de travailler et étudier en cinq pays différents. Les langues peuvent être difficiles et quelquefois gênantes mais parler les langues est une habileté commerciale inestimable. Pouvoir communiquer et se connecter avec des gens à tous les niveaux, soit PDG, soit caissier, devient de plus en plus important le plus élevé que l'on devient dans une entreprise. Il faut toujours chercher des façons d'élargir ses horizons. Développer sa personnalité est aussi important que de développer son CV.

Richard Hardie, Président de la banque UBS

Les langues sont devenues de plus en plus importantes pour moi avec mon avancement de carrière. Quand j'étais président de notre banque filiale italienne, j'ai parlé avec chaque membre de l'entreprise à un moment ou à un autre. Je crois qu'en faisant cela, j'ai gagné leur confiance. Mes habilités en langues et ma forte conscience interculturelle m'ont permis de croître avec l'entreprise pendant son développement des bases en Suisse et à Londres à cinquante autres pays. L'apprentissage des langues au Royaume-

Uni devrait avoir les mêmes priorités qu'à l'étranger. On aura besoin de faire plus d'exportations pour survivre donc le personnel britannique aura de plus en plus besoin des compétences linguistiques.

Neil Bentley, Sous-directeur général & Président, Confédération de l'Industrie britannique

Je représente le CBI aux médias, au gouvernement et aux lobbyistes de commerce à l'étranger. Ma connaissance des langues et ma sensibilité aux nouvelles cultures ont été essentielles. Il faut faire des choses pratiques comme faire de la conversation et lire les documents ou des journaux mais aussi, établir les rapports professionnels à l'étranger. On fonctionne tous dans un environnement global. Les employeurs ont grand besoin de gens avec de bonnes compétences linguistiques et des perspectives internationales, pour les aider à faire des exportations.

Q26: Who thinks that both practical skills like reading documents and their ability to establish professional relationships abroad are important?

a) Neela
b) Richard
c) Neil

....

Q27: Who says that languages have become more and more important with the advancement of their career? (2 people)

a) Neela & Neil
b) Neil & Richard
c) Richard & Neela

....

Q28: Who says that it's really important to communicate with people at all levels, from cashiers to directors?

a) Neela
b) Richard
c) Neil

....

Q29: Who thinks that language skills will become more and more important in Britain?

a) Neela
b) Richard
c) Neil

....

Q30: Who says that it's really important to communicate with people at all levels, from cashiers to directors?

a) Neela
b) Richard

c) Neil

....

2.13 Government, politics and public sector: Le gouvernement, la politique et le secteur public

chambre des communes	House of Commons
reprise	taken over
les verts	the Green Party
fussent	were (subjunctive)
faire tomber les barrières	break down barriers
ancien	former
sous-ministre	Under-Secretary
affaires étrangères	Foreign Affairs
autrefois	in the past
député	MP

Reading comprehension: Le gouvernement, la politique et le secteur public

Go online

Tom Brake, Vice-président de la chambre des communes

Quand je travaillais pour l'industrie informatique, mon entreprise a été reprise par une organisation française. On m'a choisi pour faire des visites commerciales à Paris de temps en temps ; c'était évident, à cause de mes connaissances en langues. Depuis mon début en politique, j'ai pu utiliser mon français et mon portugais. Apprendre une langue peut être difficile surtout au début mais vous le trouverez très avantageux plus tard.

Jean Lambert, Membre du parlement européen pour Londres

Quand les verts ont commencé à développer des liens avec les nouveaux partis verts européens, il était très utile d'avoir quelqu'un qui parlait français. Bien que les réunions fussent souvent en anglais, cela a aidé à faire tomber les barrières. Maintenant, je travaille avec une gamme plus large de collègues et non seulement les personnes de langue maternelle française ; les collègues de Pologne, Hongrie, Roumanie, Italie, Espagne et d'autres pays aussi, car ils ont souvent le français comme deuxième langue préférée.

Meg Munn, Députée et ancienne sous-ministre des affaires étrangères

Autrefois, avec le travail social, les langues étaient utiles quand je travaillais avec des familles étrangères. Mes langues étaient une des raisons pour pouvoir devenir député. Parler les langues nous permet de montrer du respect, d'établir les liens et faire des amitiés, partout dans le monde. La plupart des gens apprécient beaucoup quand on fait l'effort de parler leur langue.

Daniel Kempf, Policier polonais en Angleterre

Depuis mon arrivée en Angleterre j'ai eu un but principal : devenir bon policier ! Je me sers de mes langues au quotidien et je suis content d'être le point de contact principal entre la communauté polonaise et la police. Être chauffeur de taxi quand je suis arrivé ici au début m'a bien aidé avec mon anglais. On habite une Europe complètement nouvelle où il y a beaucoup plus de possibilités. Apprendre les langues peut vous aider à devenir ce que vous voulez être.

Q31: Who believes languages allow you to be what you want to be?

a) Tom
b) Jean
c) Meg
d) Daniel

....

Q32: Who worked with Green political parties?

a) Tom
b) Jean
c) Meg
d) Daniel

....

Q33: Who worked for an ICT company?

a) Tom
b) Jean
c) Meg
d) Daniel

....

Q34: Who feels that foreigners appreciate efforts made to use their native language?

a) Tom
b) Jean
c) Meg
d) Daniel

....

Q35: Who has used French and Portuguese at work?

a) Tom
b) Jean
c) Meg
d) Daniel

....

Q36: Who believes that modern Europe offers many possibilities?

a) Tom
b) Jean
c) Meg
d) Daniel

....

Q37: Who went on business trips to Paris?

a) Tom
b) Jean
c) Meg
d) Daniel

....

Q38: Who was able to communicate with a range of nationalities who preferred French as second language?

a) Tom
b) Jean
c) Meg
d) Daniel

....

Q39: Who had a professional ambition in mind when moving to England?

a) Tom
b) Jean
c) Meg
d) Daniel

....

2.14 Entrepreneurship: L'esprit d'entreprise

trimestre	term
au pair	foreign nanny
aperçu	insight
esprit	mindset

Go online

Translation: L'esprit d'entreprise

Lizzie Fane, fondatrice de 'ThirdyearAbroad.com'

Avec votre formule 'année à l'étranger' personnelle, vous allez impressionner les employeurs ! Eté au Mexique en faisant du travail bénévole, premier trimestre travaillant pour une entreprise de droit parisien, le deuxième trimestre travaillant pour un commerce espagnol et le prochain été, au pair. Un employeur peut vous enseigner comment fonctionne leur commerce en quinze jours, mais il ne peut pas vous enseigner une nouvelle langue.

Quand vous apprenez une langue, vous avez un aperçu des traditions, de l'art et de l'esprit. Les langues font remarquer votre CV, et vous font distinguer des autres candidats, même si les employeurs ne les demandent pas.

Q40: Translate what Lizzie Fane says into English.

....

2.15 Law and Human Rights: Le droit et les droits de l'homme

commerce	business
embauché	employed
témoin	witness
droit du travail en Angleterre	English Employment Law
tribunal espagnol	Spanish court
on m'a fait subir un contre-interrogatoire	I was cross-examined
Officier de droits de l'homme	Human Rights Officer
pires notes	worst marks
ça a fait tilt	it clicked (informal expression)

Reading comprehension: Le droit et les droits de l'homme

Go online

Toni Lorenzo, Partenaire, Lewis Silkin

Ne croyez pas aux gens qui disent que les langues ne sont pas importantes. Même si les étrangers parlent anglais, ils feront toujours plus de commerce avec ceux qui parlent leur langue. Je n'ai aucun doute que j'ai été embauché ici à cause de mes langues. J'ai beaucoup de clients étrangers avec des intérêts au Royaume-Uni et je conseille régulièrement en italien et en espagnol. Une de mes expériences professionnelles les plus intéressantes récemment était d'être témoin expert dans le domaine du droit du travail en Angleterre au tribunal espagnol où on m'a fait subir un contre-interrogatoire en espagnol.

Rachel Nicholson, Officier de droits de l'homme, Afrique

J'avais du mal à apprendre le français au collège. J'ai reçu mes pires notes dans cette matière. Mais, au bout d'un moment, ça a fait tilt. Je ne m'attendais pas à faire plus d'études de français. Pourtant, je me suis appliquée un peu plus et je me suis rendue compte que passer une année à l'étranger m'aiderait à parler plus couramment. Depuis ma licence, j'ai eu besoin de mon français pour chaque travail et formation. Professionnellement, cela a été inestimable et m'a permis de travailler dans de lieux fascinants.

Q41: Who spent a year abroad to perfect their language skills?

a) Toni

b) Rachel

....

Q42: Who says that we shouldn't believe people who say languages are not important?

a) Toni
b) Rachel

....

Q43: Who says that people will be more likely to do business with those who speak their native language?

a) Toni
b) Rachel

....

Q44: Who found Modern Languages difficult at school?

a) Toni
b) Rachel

....

2.16 Charities: Les associations caritatives

Vocabulary: Les associations caritatives

Go online

Tiziana Oliva, Directrice du groupe volontariat international (Afrique, Amérique Latine et Caraïbes)

Sans ma passion pour les langues, je ne serais pas là, où je suis aujourd'hui. L'anglais et le français ont été essentiels mais mon autre espoir maintenant serait d'apprendre très profondément l'arabe.

Noa Epstein, PDG 'Middle East Education through Technology'

Pratiquez vos langues avec les étrangers ! Il n'y a rien de plus frustrant que de ne pas parler couramment en conversation. Même si vous n'êtes pas sûr de la direction de votre futur métier, apprendre une langue étrangère est essentiel. A quatorze ans, j'ai fait partie d'une organisation de paix qui rassemblait les jeunes arabes et israéliens. En plus, je voulais communiquer avec les familles de mes amis palestiniens. Les langues m'ont été très avantageuses. J'ai pu établir des rapports professionnels plus forts, diriger les rapports des investisseurs et faire une forte impression sur les autres.

Q45: In the text, find the French for the following English phrases.

a) There's nothing more frustrating
b) I was able to establish
c) My other wish now
d) Even if you're not sure
e) To make a strong impression
f) I wouldn't be here

....

2.17 Listening comprehension: Sylvie

Sylvie is telling us about what happened before she started work with a large computer retailer in France.

Go online

Listening comprehension: Sylvie

You will need the following sound file to complete this assessment:
hg-cfrh3-2-13listening.mp3

Q46: How old is Sylvie?

1. 20
2. 18
3. 28

....

Q47: She:

1. created her own business school.
2. works in a business school.
3. went to business school.

....

Q48: Sylvie had given up all hope of finding a:

1. job she'd like.
2. stable job.
3. job.

....

Q49: How long did Sylvie spend in London?

1. over 2 years
2. 2 years
3. 1 year

....

Q50: In London, Sylvie worked:

1. as a waitress.
2. in a school.
3. to pay for her studies and zone card.

....

Q51: In London, Sylvie:

1. relied on the fact that she could speak several languages.
2. improved her English.
3. learned several foreign languages.

....

Q52: Nowadays, Sylvie has become a giant in IT.

1. True
2. False

....

Q53: Nowadays, Sylvie speaks two languages every day.

1. True
2. False

....

Q54: Nowadays, Sylvie speaks English with her team and UK clients.

1. True
2. False

....

Q55: Nowadays, Sylvie speaks Spanish when she deals with South American clients.

1. True
2. False

....

Q56: Before working for this IT company, Sylvie:

1. lived in Spain.
2. had gone to live in Spain for a while.
3. had left Spain to go to London.

....

Q57: She fell in love with:

1. London.
2. Spain.
3. a Spaniard while working in London.

....

Q58: She was completely won over by:

1. Madrid and its laid-back way of living.
2. a life in the sun, siestas, dinners out in tapas bars.
3. having to do nothing and be looked after.

....

Q59: She left her boyfriend because he:

1. was really kind, but didn't have the same interests as her.
2. never came home.
3. was unkind to her.

....

Q60: Sylvie has been through a harrowing time professionally.

1. True
2. False

....

Q61: Sylvie has been through a harrowing time in her personal life.

1. True
2. False

....

Q62: Sylvie has experienced a tremendous adventure, both in her professional and personal life.

1. True
2. False

....

Q63: Sylvie thinks that things could not be worse.

1. True
2. False

....

Q64: Sylvie thinks that all experiences, whether good or bad, contribute to our development.

1. True
2. False

....

2.18 Grammar: Perfect/imperfect/pluperfect

You should, by now, feel quite comfortable with these tenses. Let us quickly recap before going over to the exercises:

Perfect

*auxiliary **avoir** or **être** (present tense) + past participle*

Examples

1.

J'ai lavé	Nous avons lavé
Tu as lavé	Vous avez lavé
il a lavé	ils/elles ont lavé
elle a lavé	ils/elles ont lavé

....

2.

je suis parti(e)	nous sommes parti(e)s
tu es parti(e)	vous êtes parti(e)s
il est parti	ils sont partis
elle est partie	elles sont parties

....

Imperfect

Take the nous form of the present tense, drop the ending ons and add the imperfect ending: ais, ait, ions, iez or aient

Examples

1.

je lavais	nous lavions
tu lavais	vous laviez
il lavait	ils lavaient
elle lavait	elles lavaient

....

2.

je partais	nous partions
tu partais	vous partiez
il partait	ils partaient
elle partait	elles partaient

....

Pluperfect

auxiliary avoir or être (imperfect tense) + past participle

Examples

1.

j'avais lavé	nous avions lavé
tu avais lavé	vous aviez lavé
il avait lavé	ils avaient lavé
elle avait lavé	elles avaient lavé

....

2.

j'étais parti(e)	nous étions parti(e)s
tu étais parti(e)	vous étiez parti(e)s
il était parti	ils étaient partis
elle était partie	elles étaient parties

....

Writing: Sylvie

Perfect	Imperfect	Pluperfect
j'ai trouvé	c'était	je n'avais jamais pensé
j'ai été recrutée	je gagnais	j'étais partie vivre
j'ai pu améliorer	il se passait	on avait décidé d'aller
j'ai oublié	ça pouvait servir	
je l'ai laissé tomber	j'étais séduite	
je suis rentrée	il était gentil	
je suis arrivée	il ne faisait rien	

Using the verbs above where possible, write a text similar to Sylvie's about your imaginary experiences in travel and employment.

Show your work to your teacher or tutor when you have finished.

....

2.19 Context summary: Writing and Talking practice

Imagine that you are preparing for an interview for a job in France. It could be, for example, a summer/seasonal job, voluntary work or a work experience opportunity.

Have a particular job/experience in mind before you answer the questions, so that you can make your answers as relevant as possible. Try to use the new vocabulary and phrases that you have picked up from this Context. Note that the interview questions have all been written in the formal way (using vous, votre, vos) as this is the way that you would be addressed at interview.

Writing and Talking practice

- **Quelles sont vos matières préférées au collège/lycée ?**
  What are your favourite school subjects?
- **Pourquoi aimez-vous ces matières ?**
  Why do you like these subjects?
- **Pourquoi est-ce que vos compétences et diplômes seraient importants pour ce travail ?**
  Why would your skills and qualifications be important for this job?
- **Combien d'expérience professionnelle avez-vous ?**
  How much work experience do you have?
- **Comment est/était:**
  How is/was:
  - votre travail à temps partiel ? your part-time job?
  - votre expérience professionnelle au lycée ? your school work experience?
  - vos stages ? your placements?
  - votre travail bénévole ? your voluntary work?
- **Que faites-vous pendant votre temps libre ?**
  What do you do in your spare time?
- **Pourquoi est-ce que vous voulez ce travail ?**
  Why do you want this job?
- **Pourquoi est-ce que vous croyez que vous seriez fort dans ce travail ?**
  Why do you think that you would be good in this job?
- **Quelles sont vos qualités ?**
  What are your qualities?
- **Quelles sont vos forces ?**
  What are your strengths?
- **Donnez un exemple de quelque chose que vous avez fait dont vous vous sentez fier.**
  Give an example of something that you have done that you feel proud of.
- **Décrivez une situation difficile que vous avez bien gérée.**
  Describe a difficult situation that you have managed.

- **Est-ce que vous avez des faiblesses ?**
  Have you any weaknesses?
- **Pourquoi est-ce que vous voulez quitter votre poste actuel ?**
  Why do you want to leave your current position?
- **Comment est-ce qu'un ami vous décrirait ?**
  How would a friend describe you?
- **Où est-ce que vous vous voyez en cinq ans ?**
  Where do you see yourself in five years' time?
- **Quel est le plus gros problème que vous avez dû surmonter ?**
  What is the biggest problem you've had to overcome?
- **Est-ce que vous préférez travailler tout seul ou en équipe ?**
  Do you prefer to work alone or in a team?
- **Comment est-ce que vous réagissez à la pression ?**
  How do you cope under pressure?

Now, here are some questions which deal specifically with languages. Some are relevant to job interviews as well.

- **Quelles langues parles-tu ?**
  Which languages do you speak?
- **Aimes-tu apprendre les langues étrangères ? Pourquoi ?**
  Do you like learning foreign languages? Why?
- **Apprendre des langues est important, à ton avis ?**
  Is language learning important, in your opinion?
- **Est-ce que tes langues t'ont déjà aidé dans la vie ?**
  Have your languages already helped you in life?
- **Qu'est-ce que les langues apportent à la vie, en général ?**
  What do languages bring to life, in general?
- **Comment est-ce que tu comptes utiliser les langues à l'avenir ?**
  How do you intend to use languages in the future?
- **Est-ce que tu crois que les britanniques considèrent les langues étrangères importantes ?**
  Do you think that the British consider foreign languages to be important?

. . . .

2.20 Learning points

Summary

You should now feel confident to tackle a variety of Reading and Listening texts within the theme of education on the following topics set out in the learning objectives:

- preparing for a job interview;
- the importance of language in global contexts;
- job opportunities.

You should now also be able to understand and use the:

- perfect tense;
- imperfect tense;
- pluperfect tense.

Glossary

(être) voûté
to be slouched

(formation) en alternance
sandwich course (training)

(se) tenir au courant
to keep up to date

affaires étrangères
foreign affairs

à la fac
at university

à l'étranger
abroad

ancien
former

annonces
advertisements

antérieures
previous

à peine
barely

aperçu
insight

argent
silver/money

association caritative
charity organisation

au foyer
at home

au fur et à mesure
slowly but surely

augmentation de salaire
pay rise

au pair
foreign nanny

au quotidien
on a daily basis

au sein de
within

autrefois
in the past

beaux-arts
fine arts

bénévole
voluntary/charity

bilan
check up

biochimie
biochemistry

blagues
jokes

bouchée
blocked up

bourse
grant

but
goal

ça a fait tilt
it clicked (informal expression)

caissier
cashier

candidature
application

capacités
abilities

centre de documentation
library (in school)

centre de formation
training centre

centre d'accueil
'drop-in' centre

chaleur
warmth

chambre des communes
House of Commons

chantier naval
boatyard

chef d'entreprise
company manager

chiffres
figures/numbers

cibler
to target

cibles
targets

clé
key

collecte de fonds
fundraising

colonies de vacances
holiday camps

comblés
fulfilled

commerce
business

compétences
skills

connaissance
knowledge

connaissances
knowledge

consacres
: dedicate/devote

conseiller d'orientation
: careers adviser

conseils
: advice

conseils de direction
: management

contrainte
: constraint

contre-envies
: dislikes

conventions de travail
: careers conventions

coordonnés
: contact details

couramment
: fluently

cours d'alphabétisation
: literacy classes

couvre-feu
: curfew

critères de sélection
: selection criteria

croissance
: growth

croissantes
: growing

croître
: to grow

cursus
: degree course

dans le coin
: in the area

dates de clôture
closing dates

débordé
overwhelmed

défi
challenge

de flore et faune sauvages
wildlife

délais supplémentaires
extensions

démarche
action, step

député
MP

dérogatoires
derogatory

dès
from

diplômes
qualifications

directeurs des études
directors of studies

direction d'évènements
events management

dirigeait
led/was leading

disponible
available

domaine
field

le domaine du droit du travail en Angleterre
English employment law

dommage
shame

droits de la femme

women's rights

écoles maternelles

nursery schools

égalité

equality

élargir ses horizons

broaden one's horizons

embauché

employed

empêche

prevents

encadré

restricted

encadrement

management

entretien

maintenance

espèces en voie de disparition

endangered species

esprit

mindset

étape

stage

évoluer avec son temps

to keep with the times

expatriés

expat

expérience professionnelle

work experience

faciliteront

will facilitate

façon

way

factures
bills

faculté d'adaptation
adaptability

faiblesses
weaknesses

faire du bénévolat
to do voluntary work

faire tomber les barrières
to break down barriers

faisant des économies
making savings

fiable
loyal

fiche de candidature
application form

fiches de candidature
application forms

fier
proud

filiale
subsidiary (firm)

fleurie
floral

fondatrice
founder

forces
strengths

formation
training

formation professionelle
professional training

fournisse
provide (subj)

fournisseur
supplier

fournit
provide

frais
expenses

fussent
were (subjunctive)

gamme
range

garder
to look after

gênantes
embarrassing

gène
gene

genres
types

gérée
managed, led

gérer
to manage

gestion
management

gloussements
clucking noises

graphisme
graphic design

harcelées sexuellement
sexually harassed

hautes notes
high marks

haute société
upper class

inestimable
invaluable

inoubliables
unforgettable

inscription
application

inscrivez-vous
sign yourselves up

intérim
a temporary worker

intrépides
bold

investissement
investment

jouer les victimes
to play the victim

journées 'portes-ouvertes'
Open Days

jumeaux
twin (masculine)

jumelé
twinned

laisse tomber
leave it/drop it

langage du corps
body language

les verts
the Green Party

licence
degree

licenciés
graduates

lieu
location, place

mâchez
chew

maisons d'accueil
care homes

maîtriser
to master

manque d'assurance
lack of confidence

marchandises
merchandise

marché d'emploi
employment market

marins
sailors

mécanicien
mechanic

médaille d'or
gold medal

mentez
lie (not tell the truth)

méticuleuse
meticulous, thorough

métiers
jobs

mis à jour
updated

mitigée
mixed, lukewarm

monde de l'entreprise
the business world

Moyen-Orient
Middle East

mûrir
ripen, mature, develop

navigatrice
yachtswoman

ne soyez pas
don't be

nouveau regard
new perspective

officier de droits de l'homme
human rights officer

on m'a fait subir un contre-interrogatoire
I was cross-examined

organismes spécialisés
specialist organisations

orientation
direction

orphelinats
orphanages

outil
tool

parascolaires
extracurricular

par défaut
by default

parmi
amongst

PDG (Président Directeur Général)
CEO (Chief Executive Officer)

personnalité
broadcaster

pionnier
pioneering

pires notes
worst marks

le plafond de verre
glass ceiling

plongée
diving

porter plainte
to make a complaint

postuler
to sign up

précieux
valuable

pression
pressure

prêt étudiant
student loan

preuve
proof

profiter
to benefit

projets de volontariat
voluntary projects

propriétaire
owner

protection de la nature
conservation

puissant
powerful

qualifications professionnelles
professional qualifications

rafraîchisse
refresh (subj)

récolter
to collect

reconnaissante
grateful

rédactrice
editor

réflexion
reflection/thought

règles
periods

règles d'or
golden rules

rémunération
payment

répondre aux besoins
to meet the needs

reprise
taken over

requise
required

réseaux
networks

retenu
held back

retraite
retirement

rêver
to dream

richesse
richness

savoir-faire
'know-how', knowledge

se débrouiller
to cope

sensibilité
sensitivity

serrez la main à
shake hands

sexisme
sexism

siècle
century

sifflé
(wolf-)whistled

soin
care

sondage
survey

soulignez
highlight

sourire
to smile

sous-directeur
deputy director

sous-ministre
under-secretary

soutenir
to support

soutien
support

technologie génétique
genetic engineering

tellement
so many

témoin
witness

terminale
final year of secondary school in France

tête-à-tête
one to one

le trac
nerves

travail caritatif
charity work

travail d'équipe
team work

tribunal espagnol
Spanish court

trimestre
term

trousse à outils
tool box

valable
valid

vernir les ongles
to paint nails

visez
aim

volonté
willingness

vols
flights

Answers to questions and activities

1 Jobs

Listening comprehension (page 3)

Listening transcript

Bonjour, moi c'est Djamila. Je suis Française d'origine algérienne. J'habite à Brest, en Bretagne. J'ai trois grands frères et une petite soeur. Je suis en classe de terminale, cette année, et je passe mon bac début juin.

Mes parents m'ont toujours dit que devenir fonctionnaire, c'était vraiment un objectif important dans la vie. A partir du moment où on obtient un poste dans la fonction publique, il n'y a plus de problème parce qu'on est employé à vie !

Après la guerre d'Algérie, ma famille a quitté l'Afrique du Nord. Mes parents sont arrivés à Paris. Dans les années 60, il y avait du travail pour tout le monde, on pouvait choisir ce qu'on voulait faire. Nous nous sommes installés à Brest dans les années 70. Mes parents ont ouvert une petite épicerie. Ils ont payé des études à tous leurs enfants et ils ont travaillé jour et nuit dans leur magasin pour faire vivre la famille. Pour eux, je dois réussir.

Par conséquent, pour eux, la sécurité de l'emploi est très importante. Mes frères travaillent dans les services municipaux. Ils sont fonctionnaires depuis 7 ans. Moi, je voudrais faire des études de droit : avec une maîtrise de droit, on peut faire beaucoup de choses. En fait, je ne sais pas encore ce que je veux faire. La fonction publique propose beaucoup d'emplois différents. Il y a des professions qui demandent beaucoup de compétences et qui offrent des possibilités de promotion intéressantes. Mais être fonctionnaire, c'est aussi une contrainte parce qu'on est obligé d'accepter des postes qu'on n'aime pas vraiment.

En fait, je préférerais faire un métier qui me laisse plus de liberté, et que j'aime vraiment. Mes parents voudraient que j'entre dans la fonction publique, ils disent que je devrais y réfléchir sérieusement. Cependant, je suis prête à prendre le risque : moins de sécurité, mais un emploi que j'aime! Je pourrais devenir avocate et travailler dans un cabinet privé... On verra bien, mes parents changeront peut-être d'avis !

Q1: French of Algerian origin.

Q2: three older brothers and one younger sister.

Q3: sit her baccalauréat at the beginning of June.

Q4: become a civil servant.

Q5: a job guaranteed for life.

Q6: the north of Africa.

Q7: of the aftermath of the war for independence.

Q8: choose exactly what you wanted to do professionally.

Q9: 1970s

Q10: A convenience store

Q11: paid for all their children to study.

Q12: work for the council.

Q13: study law.

Q14: qualifications in many areas.

Q15: to accept the posts offered.

Q16: she really likes and leaves her a lot of room to manoeuvre.

Q17: work in the public sector.

Q18: could become a lawyer.

Reading comprehension: Arthur et David (page 8)

Q19: a) a mechanic.

Q20: a) Arthur's twin brother.

Q21: c) owns his garage in the Montréal suburbs.

Q22: c) found a job with a French cheese import company.

Q23: a) became a sales manager.

Q24: c) top Canadian cheese exporter.

Q25: c) They couldn't find a job in France.

Q26: b) False

Q27: a) True

Q28: a) True

Q29: b) False

Q30: a) True

Q31: b) False

Q32: a) True

Q33: a) True

Q34: b) False

Q35: a) True

Q36: a) True

Q37: a) True

Q38: a) True

Grammar: Pluperfect (page 13)

Q39:

1. J'étais venu voir Cécile.
2. J'avais fait mes devoirs.
3. J'avais acheté un manuel de français.
4. J'étais partie en vacances en France.
5. J'avais reçu une bonne note.

Grammar: The pronoun en (page 14)

Q40:

1. Oui, j'en veux.
2. Oui, j'en rêve.
3. Oui, j'en consomme.
4. Oui, j'en bois.

Vocabulary revision (page 14)

Q41:

1. mechanic
2. managing director
3. hold a position in a company
4. work night and day
5. be promoted
6. settle abroad
7. own one's car workshop
8. be attracted by the business world
9. find a position with an import company
10. become a sales manager
11. take over a company's management
12. partner up with a supplier
13. have some experience
14. reply to a job offer
15. send an application
16. manage a placement agency for temporary work
17. try one's luck
18. meet clients' needs
19. bring something new

Translation: Les TIC (page 15)

Expected answer

Before my last year at school, I had dreamt of becoming a doctor and working in the health services. Since then I have done a lot of thinking and I am going to choose a job which is on the way up, such as a computer programmer. We are told again and again that to be a civil servant means having job security. As for me I say: no way do I want a job for life! I want to go for it and have my own business, maybe in ICT. It should be exciting even if I have to work day and night at the start! If it does not work, I can always go into the public sector. I could become a teacher! Let's wait and see!

Vocabulary: Le travail d'été (page 17)

Q42: 1.f, 2.e, 3.i, 4.a, 5.j, 6.b, 7.h, 8.d, 9.c, 10.g

Reading comprehension: Un été magnifique aux États-Unis (page 18)

Q43:

- Contact with children
- The summer camp atmosphere

Q44:

- You are able to work amongst nature/in the great outdoors.
- You will have unforgettable encounters/meetings.
- You will take part in camp events.
- You will share the children's daily routine.

Q45: Take care of/manage children

Q46: None

Q47: Their skills and work experience

Q48:

- A far better level of English
- A more open-minded outlook
- Lifelong memories
- Worldwide friendships/a network of contacts

Q49: Organise a technical or professional placement

Q50: Details of the up-to-date salary

Q51: Food and accommodation

Q52: An interview and an orientation meeting

Q53: 8-9 weeks

Q54: The applicant's level of English

Q55: Having previously worked with children, for example, as part of a scout group or sports club.

Reading comprehension: Les plans d'études et de carrière (page 24)

Q56: d, e, b, f, a, g, h, c

Q57: e, b, d, f, a, c

Q58: g, d, a, c, f, b, h

Q59: c, f, d, a, e, b

Q60: c, d, i, e, a, k, b, f, g, j, h

Vocabulary: Rouen council (page 28)

Q61:

a.	échéances	11.	deadlines
b.	démarches	9.	steps/action
c.	cadre	8.	framework
d.	outils	1.	tools
e.	compétence	3.	skill
f.	temps-plein	10.	full-time
g.	obstacles	4.	obstacles
h.	emploi	5.	work/employment
i.	pas à pas	2.	step by step
j.	objectifs (réalisables)	7.	realistic objectives
k.	annuaires	6.	directories

Q62:

a.	(lettre de) motivation	6.	letter of application
b.	recherche	4.	research
c.	efficace	9.	efficient
d.	bilan	11.	check-up/statement
e.	pôle (emploi)	8.	job centre
f.	délais	10.	time limits
g.	marché	2.	market
h.	étape	3.	stage
i.	clés	5.	keys
j.	formation	7.	training
k.	annonces	1.	advertisements

Vocabulary 2: Rouen council (page 29)

Listening transcript

1. Vous êtes à la recherche d'un emploi ? Comment mettre toutes les chances de votre côté pour atteindre au plus vite votre objectif ? Savoir comment s'y prendre et par où commencer, ce n'est pas toujours évident. . .

2. Pour être efficace, vous devez disposer de bons outils et démarrer votre recherche avec un minimum de méthode et d'organisation. Notre guide vous donne les clés, étape par étape, pour structurer, planifier votre recherche et vous positionner sur le marché de l'emploi : établir un bilan de votre parcours et le marché de l'emploi, construire votre CV, sélectionner des annonces, rédiger une lettre de motivation, utiliser Internet. Il ne vous reste plus qu'à passer à l'action !

3. Votre pôle emploi est là pour vous aider dans vos démarches quotidiennes. Renseignez-vous sur les outils mis à votre disposition : postes informatiques, consultations d'annonces, de magazines professionnels ou spécialisés, photo-copieurs, téléphones, documentation, annuaires d'entreprises... Pensez à établir une liste des personnes qui pourront vous conseiller dans votre parcours : proches, professionnels, réseaux relationnels. Tenez compte de vos contraintes et identifiez les obstacles. Il vous faudra imaginer comment les dépasser en cherchant, par exemple, des formations possibles.

4. Vous aurez peut-être une compétence rare : par exemple, vous parlez parfaitement le russe. Ou bien vous avez une double compétence : vous êtes commercial et pratiquez un sport à haut niveau. Connaissez-vous tous les secteurs et/ou entreprises qui pourraient avoir besoin de votre talent ?

5. La recherche d'emploi est une activité à temps plein. Comme il est naturel de le faire dans le cadre du travail, il faut savoir organiser ce temps et adopter une démarche structurée.

6. Structurez votre réflexion et planifiez votre emploi du temps. Créez-vous un calendrier, avec des objectifs réalisables et des échéances, jour après jour. Pour être efficace, rien de tel que de se fixer des délais. N'hésitez pas à faire un bilan régulier de

vos démarches. Vous mesurerez, pas à pas, l'efficacité de chacune de vos actions et ce que vous pourrez améliorer ou rectifier.

Q63: 1. recherche, 2. emploi

Q64: 3. efficace, 4. outils, 5. clés, 6. étape, 7. marché, 8. annonces, 9. motivation

Q65: 10. pôle, 11. démarches, 12. annuaires, 13. obstacles, 14. formations

Q66: 15. compétence

Q67: 16. temps plein, 17. cadre

Q68: 18. objectifs, 19. échéances, 20. délais, 21. bilan, 22. pas à pas

Translation: Rouen council (page 30)

Q69:

You will perhaps have a rare skill: for example, speaking perfect/fluent Russian. Or perhaps you are dual skilled/ have two skills: you are business minded and do sport at a high level. Do you know the sectors and/or businesses/companies who could need your talent?

Researching a career is a full-time activity. Just as it is natural to do so in the working framework, you need to know how to organise this time and adopt a structured action plan.

Reading comprehension: L'année sabbatique (page 32)

Q70:

- Distant locations/expensive flights
- Costly activities e.g diving/climbing

Q71:

- Stay closer to home (e.g UK, Europe)
- Earn money/get a job to offset (travel) expenses

Q72: All aspects of research and production of the Bolivia Express newspaper

Q73:

- Get lessons in photography, cinema and graphics, from experts
- Get Spanish lessons
- Be paired up with someone in La Paz
- Discover Bolivian culture

Q74: Work placements, Chinese lessons

Q75: Young people hoping to do medicine or nursing studies later on

Q76: Language exchange

Q77: You start off by becoming part of the online exchange community to establish contacts and potential partners.

Q78: Everything is free apart from your plane ticket

Q79:

- Young people can gain experience in proper graduate jobs
- Young people earn a competitive salary
- Young people will gain valuable knowledge and skills for their future employment.

Q80: Combine nature conservation projects with a work (e.g law/marketing/events management/hospitality) placement.

Q81:

- Working with underprivileged children or communities
- Working with wild animals
- Jungle/marine conservation
- Building work
- Working in orphanages/care homes

Listening comprehension: Laurence (page 35)

Listening transcript

1. Interviewer : Bonjour Laurence ; Pourquoi faire un break après ton bac ?

Laurence : Bonjour, alors, bonne élève, j'ai eu mon bac avec mention assez bien ! Et pourtant, en terminale, je n'avais aucune idée d'orientation. J'ai donc décidé de prendre une année sabbatique et de partir enrichir mes langues à l'étranger.

2. Interviewer : Comment est-ce que les autres ont accueilli cette initiative ?

Laurence : De manière très mitigée par mon entourage ! « Mais tu vas perdre une année ! » s'inquiétaient mes amis de terminale. Faire une pause dans ses études après le lycée fait peur : certains pensent qu'il est plus difficile de s'orienter par la suite. Heureusement, j'ai reçu le soutien de ma famille, qui comprenait mes choix : j'avais besoin de mûrir mon projet avant de m'engager dans des études supérieures. Je ne le regrette pas : si j'avais choisi un cursus par défaut, j'aurais abandonné en cours d'année !

3. Interviewer : À quoi consacres-tu cette année sabbatique ?

Laurence: Loin de moi l'idée de faire du tourisme ! Je veux acquérir une expérience professionnelle et un meilleur bagage linguistique. Avant de partir, j'ai donc cherché du travail, grâce à des organismes spécialisés. Depuis juillet, je suis partie à Malte, où j'ai servi dans un hôtel. Mes prochaines destinations : l'Espagne et l'Irlande. Et puis des projets de volontariat à l'autre bout du monde. J'espère qu'à mon retour, les employeurs et directeurs d'école apprécieront ma démarche et la richesse de mon expérience.

Q82: c) to improve her languages.

Q83: b) to have the time to consider her future direction of study/career.

Q84: c) Laurence's family were supportive and understanding.

Q85: b) has no regrets about her decision.

Q86: a) dropped out of the course in first year.

Q87: b) Laurence looks for work before she goes abroad.

Q88: a) Laurence is interested in both voluntary and paid work.

Q89: c) waitress/bar maid.

Q90: b) all over the world.

Q91: c) that employers and lecturers will recognise the richness of her experience.

Vocabulary: Laurence (page 37)

Q92:

orientation	direction
mitigée	mixed, lukewarm
soutien	support
mûrir	ripen, mature, develop
cursus	university course
par défaut	by default
consacres	dedicate/devote
organismes spécialisés	specialist organisations
projets de volontariat	voluntary projects
démarche	action, step
richesse	richness

Reading exercise: Votre orientation de métier et de formation (page 37)

Q93: 1.i, 2.d, 3.h, 4.j, 5.a, 6.g, 7.b, 8.e, 9.c, 10.f

Reading comprehension: 10 conseils d'orientation pour avoir une démarche constructive (page 38)

Q94: d) Consider your prior training and experience.

Q95: a) Don't allow yourself to dream.

Q96: c) Ask a family member or friend to analyse your personality.

Q97: a) From the start, focus on the job that interests you most.

Q98: b) Persevere with ideas, even if you don't like them.

Q99: c) How would you survive financially?

Q100: c) Choose 5 alternative training possibilities within your field.

Q101: a) You shouldn't ask others for careers advice.

Q102: c) Concentrate on doing well in your studies.

Q103: a) Once you fail a year of study, it's hard to get back on track.

Reading comprehension: L'égalité des chances sur le lieu de travail (page 43)

Q104: a) True

Q105: b) False

Q106: a) True

Q107: b) False

Q108: a) True

Q109: b) False

Q110: a) True

Q111: a) True

Q112: a) True

Q113: b) False

Q114: a) True

Q115: b) False

Q116: b) False

Q117: b) False

Q118: a) True

Q119: a) True

Q120: a) True

Q121: b) False

Q122: a) True

Q123: a) True

Listening comprehension: Elizabeth Hartley (page 49)

Listening transcript

1. Introduction : En octobre 2013, la biologiste irlandaise Elizabeth Hartley, recevra officiellement un des prix les plus prestigieux à l'université de la Sorbonne.

Hartley, 67 ans, professeure à l'institut Pasteur à Paris recevra la médaille d'or du centre national de recherches scientifiques pour son travail pionnier en technologie génétique. Licenciée de l'université de Cambridge, Hartley travaille en France depuis 1970. Elle recevra le prix pour ses recherches sur un gène qui permet le développement des tissus du coeur et des muscles. Elle a déjà reçu la médaille argent en 1999 et était élue à l'académie des Sciences en France, au Royaume-Uni et aux États-Unis. Dans cet entretien elle nous parle de comment la France lui a donné l'occasion de réussir comme scientifique et femme professionnelle dans un domaine typiquement masculin.

2. Interviewer : Bonjour Elizabeth. Félicitations. Comment êtes-vous arrivée à travailler en France ?

Elizabeth : Bonjour, merci bien. Je suis allée à l'université de Cambridge où je faisais de la biochimie. Il y avait souvent des étudiants qui partaient à l'étranger pour étudier et travailler dans un nouveau laboratoire. J'avais très envie d'aller en France car les beaux-arts m'ont toujours intéressés.

3. Interviewer : Et comment êtes-vous arrivée à l'institut Pasteur ?

Elizabeth : J'ai écrit au scientifique qui dirigeait la recherche sur un groupe de molécules, qui était découvert en France. Il était d'accord de me prendre dans son équipe. J'ai travaillé avec lui mais en même temps j'ai développé mon propre petit groupe. C'était passionnant. J'avais dans l'idée de partir aux Etats-Unis, mais ce n'était jamais une priorité et me voilà 40 ans plus tard ! J'ai toujours été très contente à Paris et la vie a toujours été intéressante.

4. Interviewer : C'était comment au début ?

Elizabeth : Je ne parlais pas français couramment mais la langue du laboratoire est très souvent l'anglais. Par contre, pour vivre ici, il est très important de bien maîtriser la langue. C'est un défi et cela m'a pris deux ans. Je parle toujours avec un accent britannique mais les gens me comprennent.

5. Interviewer : C'est comment travailler à l'institut Pasteur ?

Elizabeth : Les gens viennent de tous les coins du monde pour faire des études post doctorat. C'est un lieu prestigieux pour faire des recherches et ils viennent parce qu'ils ont vraiment envie. Il y a l'avantage que c'est Paris. L'institut Curie est parmi les meilleurs au monde. Les gens sont accueillants et le niveau d'enseignement est excellent.

6. Interviewer : En ce qui concerne l'éducation, voyez-vous des aspects positifs de la vie française ?

Elizabeth : Une très bonne chose en France est que les meilleures écoles et les universités sont gratuites. L'attitude républicaine que l'éducation devrait être ouverte à tout le monde est bonne. Le problème est que les universités peuvent être mal organisées car elles laissent rentrer tout le monde avec le baccalauréat. . .pas besoin de hautes notes.

7. Interviewer : Et pour vous, en particulier, quels ont été les avantages de vivre en France ?

Elizabeth : Je suis très reconnaissante que la France, Paris et l'institut Pasteur m'aient donné les occasions de faire ce que je voulais faire. Cette liberté était importante et ça n'existe pas dans tous les pays.

La France est un pays qui encourage les femmes professionnelles. Dans quelques pays, on dit que les femmes devraient rester au foyer, mais la France n'a pas cette attitude. Le fait d'avoir les écoles maternelles ou les enfants peuvent aller à partir de trois ans, rend plus facile les carrières pour les femmes. Je n'ai jamais rencontré de sexisme ici en domaine académique. La plupart des gens aux laboratoires étaient des hommes, mais cela évolue et il y a maintenant beaucoup plus de jeunes femmes qui dirigent leurs propres laboratoires maintenant. Les choses vont dans la bonne direction.

Q124: b) scientific research.

Q125: c) Irish.

Q126: a) university studies.

Q127: b) art.

Q128: c) 40 years.

Q129: b) the United States.

Q130: b) important for living in Paris, generally.

Q131: b) 2 years.

Q132: a) the teaching is excellent.

Q133: a) is a very popular destination of postgraduate study, worldwide.

Q134: a) the best schools and universities are free of charge.

Q135: a) freedom.

Q136: b) encourages professional women.

Q137: c) the availability of nursery facilities.

Q138: a) positive.

2 Work and CVs

Reading comprehension: Job interviews - introduction (page 57)

Q1:

a, f, g, h, j

Reading comprehension: Job interviews - section 2 (page 58)

Q2: b, d, f, e, g, c, a

Reading comprehension: Job interviews - section 3 (page 59)

Q3: e, b, f ,h, d, a, i, g

Translation: Job interviews - section 4 (page 60)

Q4:

- Your letter of invitation to the interview/the interview card.
- Your exam results.
- Your CV.
- The list of questions that you want to ask.
- Anything else that you have been asked to take along; for example, exam certificates.

Translation: Job interview - section 5 (page 60)

Q5:

French phrases	English translation
s'asseoir tout de suite	sit down straight away
poser des questions	ask questions
fumer	smoke
être conscient de son langage du corps	be aware of one's body language
être intéressé et enthousiaste	be interested and enthusiastic
écoutez bien	listen carefully
mentir	lie
utiliser des exemples	use examples
souligner ses compétences	highlight your skills
mâcher	chew
être hônnete	be honest
répondre clairement	reply clearly
être voûté	slouch
regarder l'intervieweur dans les yeux	make eye contact with the interviewer

Reading comprehension: Job interview - section 6 (page 61)

Q6: a.congratulations, b.feedback, c.write down, d.answers, e.result, f.successful, g.voluntary work, h.respond

Translation: Job interview - section 7 (page 62)

Q7:

Train yourself by writing your answers to the following questions, which are very common. Ask someone in your family, a teacher or a careers' advisor for help if necessary. Prepare your answers, always remembering the skills required for the job. Why not practice by saying your answers out loud with a friend or alone. Don't forget; give examples, give full answers and be positive!

Reading comprehension: Job interview - section 7 (page 63)

Q8:

1. Quelles sont vos matières préférées au collège/lycée ?	c. What are your favourite school subjects?
2. Combien d'expérience professionnelle avez-vous ?	d. How much work experience do you have?
3. Que faites-vous pendant votre temps libre ?	a. What do you do in your spare time?
4. Pourquoi est-ce que vous voulez ce travail ?	e. Why do you want this job?
5. Est-ce que vous avez des faiblesses ?	b. Do you have any weaknesses?

Q9:

Pourquoi est-ce que vous voulez quitter votre travail actuel ?	Why do you want to leave your current position?
Comment est-ce qu'un ami vous décrirait ?	How would a friend describe you?
Où est-ce que vous vous voyez en cinq ans ?	Where do you see yourself in five years' time?
Quel est le problème le plus gros que vous avez dû surmonter ?	What's the biggest problem that you've had to overcome?
Comment est-ce que vous réagissez à la pression ?	How do you cope with pressure?

Reading comprehension: Job interview - section 8 (page 64)

Q10: a, d, h

Vocabulary: Job interview - section 8 (page 64)

Q11: 1.b, 2.d, 3.e, 4.c, 5.a

Reading comprehension: Importance of languages (page 65)

Q12:

1. On a plus accès aux possibilités d'exportation.	h) Access to export opportunities.
2. On peut établir les rapports de l'autre côté des frontières.	a) Building relationships across borders.
3. On développe un meilleur sens critique et une meilleure approche de la résolution de problèmes.	i) Critical thinking and problem solving.
4. On développe la capacité de communiquer clairement et avec de la confiance.	g) Clear and confident communication skills.
5. On arrive à mieux communiquer avec les groupes difficiles à atteindre.	j) Communication with hard to reach groups.
6. On développe des perspectives mondiales et de la compétence interculturelle.	c) Global outlook and intercultural competence.
7. On comprend mieux des langues y compris sa propre langue.	e) Better understanding of languages, including your own.
8. On peut accéder de nouvelles sources de renseignements.	b) Access to new information sources.
9. On a une compréhension plus profonde des environnements et pratiques étrangères.	f) Deeper understanding of foreign environments and practices.
10. On a une éducation mieux équilibrée.	d) Well-rounded education.

Reading comprehension: La culture et le sport (page 67)

Q13: b) Rose

Q14: c) Larry

Q15: d) Ellen

Q16: c) Larry

Q17: b) Rose

Q18: a) Arsène

Q19: d) Ellen

Reading comprehension: Les médias (page 69)

Q20: b) Rosie

Q21: a) Isabel

Q22: a) Isabel

Q23: b) Rosie

Q24: b) Rosie

Q25: a) Isabel

Reading comprehension: Le commerce (page 70)

Q26: c) Neil

Q27: c) Richard & Neela

Q28: a) Neela

Q29: b) Richard

Q30: c) Neil

Reading comprehension: Le gouvernement, la politique et le secteur public (page 72)

Q31: d) Daniel

Q32: b) Jean

Q33: a) Tom

Q34: c) Meg

Q35: a) Tom

Q36: d) Daniel

Q37: a) Tom

Q38: b) Jean

Q39: d) Daniel

Translation: L'esprit d'entreprise (page 74)

Q40:

With your personal 'year abroad' formula, you'll impress employers ! Summer in Mexico doing voluntary work, first term working for a Parisian law firm, second term working for a Spanish business and next summer, au pair. An employer can teach you how their business works in a fortnight, but they can't teach you a new language.

When you learn a language, you get an insight into the traditions, the art and the mindset. Languages make your CV get noticed and make you stand out from other candidates, even if employers aren't asking for them.

Reading comprehension: Le droit et les droits de l'homme (page 75)

Q41: b) Rachel

Q42: a) Toni

Q43: a) Toni

Q44: b) Rachel

Vocabulary: Les associations caritatives (page 77)

Q45:

a) Il n y a rien de plus frustrant
b) J'ai pu établir
c) Mon autre espoir maintenant
d) Même si vous n'êtes pas sûr
e) Faire une forte impression
f) Je ne serais pas là

Listening comprehension: Sylvie (page 78)

Listening transcript

Moi, c'est Sylvie. J'ai 28 ans et j'ai fait une école de commerce. Au bout de 3 ans de stages j'ai enfin trouvé un travail à plein temps. J'ai été recrutée en janvier et j'ai commencé tout de suite. Je dois admettre que c'était la grande surprise, parce que j'avais abandonné tout espoir de trouver quelque chose de stable.

Avant, j'étais partie à Londres ; au départ c'était juste pour un an, et puis finalement, j'y suis restée 2 ans. Mais faire des études supérieures pour se retrouver à travailler comme serveuse c'est dommage, non ?! En plus, tout ce que je gagnais passait en loyer et en carte de transport. La catastrophe ! L'avantage, c'est que j'ai pu améliorer mon anglais. Avant, je n'avais jamais pensé que parler plusieurs langues, ça pouvait être utile !

Maintenant, je travaille au support technique pour un géant de l'informatique. Je parle trois langues tous les jours : français avec l'équipe, anglais avec les clients britanniques et espagnol pour les comptes d'Amérique du Sud.

Oui, parce que j'ai oublié de vous dire qu'avant de travailler ici, j'étais partie vivre à Madrid. J'étais tombée amoureuse d'un Espagnol à Londres, et on avait décidé d'aller vivre en Espagne. J'étais complètement séduite par le soleil, la sieste, sortir dîner tard dans des bars à tapas. Mais bon. Le garçon il était gentil mais il n'avait pas les mêmes intérêts que moi, et il ne faisait rien à la maison. Je l'ai laissé tomber, et je suis rentrée en France.

Voilà comment je suis arrivée ici. Une longue aventure professionnelle et personnelle. Aujourd'hui, j'ai un emploi stable et un nouveau petit copain. Ça pourrait être pire ! Toutes les expériences, bonnes ou mauvaises, permettent de se développer !

Q46: 28

Q47: went to business school.

Q48: stable job.

Q49: 2 years

Q50: as a waitress.

Q51: improved her English.

Q52: False

Q53: False

Q54: False

Q55: True

Q56: had gone to live in Spain for a while.

Q57: a Spaniard while working in London.

Q58: a life in the sun, siestas, dinners out in tapas bars.

Q59: was really kind, but didn't have the same interests as her.

Q60: False

Q61: False

Q62: True

Q63: False

Q64: True